MALA YERBA

MARIANO AZUELA

Mala Yerba

Novela

TERCERA EDICION

1937

PRELIMINAR

Se ha dicho que en nuestra época puede haber buenos artistas mal conocidos, pero no "genios ignorados", concepto, éste, propio de románticos mediocres; tarde o temprano, el talento verdadero, acaba por revelarse.

Tales axiomas adquieren el valor de lo real en el caso de Mariano Azuela. Pasada la cincuentena le sorprendió la notoriedad. Nunca la buscó, pues se limitaba a hacer cortísimas ediciones de sus novelas, cuyos ejemplares regalaba a sus amigos. Justamente apreciadas por quienes las conocían, tan pronto como llegaron hasta el público obtuvieron general aplauso.

Una polémica literaria en la prensa de México, a principios de 1925, movió la atención hacia **Los de abajo,** que Azuela había publicado en 1916 como folletín de un periódico fundado por compatriotas en El Paso, Texas, y reimpreso en 1920, en esta capital. Dos nuevas ediciones mexicanas y tres en España, amén de las publicaciones fraudulentas hechas en diversos países de habla española, consagraron la reputación del escritor, cuya obra maestra ha sido editada en inglés —en los Estados Unidos y en Inglaterra—, francés, alemán, portugués y checo; se ha publicado, además, en diarios o revistas, en ruso, japonés y servio. Azuela es hoy el más conocido, **urbi et orbi**, de los novelistas mexicanos. Tiene ya numerosos epígonos, y no es aventurado afirmar que el éxito de su libro estimuló la producción de relatos inspirados en la Revolución Mexicana.

De las dieciséis novelas que lleva publicadas, otras merecen repetir el éxito de **Los de abajo.** Esta es una de ellas. Fué impresa en 1909, en los talleres de La Gaceta de Guadalajara, y reeditada en México en 1924, en la Imprenta de Rosendo Terrazas. En inglés apareció en 1932 bajo el título de **Marcela** y el subtítulo de **A Mexican Love Story;** la versión, prologada por Waldo Frank, es de Miss Anita Brenner. Al francés la tradujo muy acertadamente Mlle. Mathilde Pomés, titulándola **Mauvaise graine;** se editó en 1933.

Mala yerba es una novela del campo mexicano, en donde aviva la intensidad de las pasiones, propia del medio, el racial desdén al dolor y a la muerte. Es un drama de odio y de amor. Mejor dicho, de amoríos: en torno a la bella aldeana, apetitosa fruta silvestre, giran, amantes sucesivos, el degenerado vástago de una ruda familia de hacendados; el joven labriego, valiente hasta la temeridad, robusto y noblote, pero tan cándido que raya en tonto; inclusive cierto ingeniero norteamericano que así comienza su aclimatación. La moza nada tiene de pazguata: se sabe deseable y, rústica Celimena, hace de la coquetería su mejor arma. Es un **tipo** más bien que un **carácter**, como lo son en general, los protagonistas, de los primeros libros de Azuela, a quienes, quizás mejor que por sus nombres, podría denominarse por sus cualidades representativas. (Ciertas figuras episódicas poseen particular relieve. En esta novela, el tosco Don Anacleto, la rezandera y locuaz Doña Poncianita, la triste Mariana, que vió agostarse su juventud en la inútil espera del amor honesto, tienen manifiesta personalidad). Tal generalización —en gran parte determinada por la misma sencillez de los actores, muy cercanos a la naturaleza—, aunque los realza hasta volverlos, se diría, encarnación del grupo social a que pertenecen, los muestra obedientes sólo al impulso de su cualidad distintiva. Y en las escenas en que intervienen, más que la incierta lógica de la vida parece dominar, **deus Ex machina,** la voluntad del autor.

Mas cualquier reparo a ese respecto sería superfluo. En las novelas de su primera época, Azuela —que después ha creado inolvidables caracteres, como la protagonista de **La malhora** o el José María de **La luciérnaga**— deja que el lector deduzca de los actos de los personajes la psicología de éstos, y se limita a narrar hechos. ¡Y de cuán viva manera los narra! Con nervioso estilo que sazonan pintorescos modismos, a cien leguas de reglas y de trabas pero singularmente expresivo y lleno de color. En opinión general, Azuela es el novelista que más exactamente describe la vida mexicana de nuestro tiempo.

La obra entera del autor de **Los de abajo** podría llevar ese título. En la mayoría de sus novelas —como de ésa ha dicho con acierto un crítico—, vemos "a los oprimidos por la miseria, por el vicio, por la ignorancia, por el crimen, por la falta de sentido moral o de roce con las gentes de las capas superiores". En otras bosqueja el ambiente de la pequeña clase media. Y hasta cuando son ricos sus personajes, cual los hacendados de **Mala yerba,** son "pueblo" por las costumbres. Mas, a pesar de la simpatía hacia los pobres que tras-

cienden todos sus libros, Azuela no es de los
que creen —menos aún de los que fingen
creer— que aquella condición lleve aneja la
posesión y ejercicio de todas las virtudes; pinta bellacos, malvados e imbéciles, como pinta
seres bondadosos. Y con idéntica impasibilidad. Acaso ésta sea más aparente que real,
porque es discreto en la expresión de sus en-
tusiasmos y de sus indignaciones; el lector sólo advierte, a veces, una, dos líneas de fugaz
comentario que descubren la inclinación o la
antipatía del novelista hacia éste o el otro de
sus personajes y, por tanto, la tendencia de su
pensamiento. Pero Azuela no se desborda en
sus libros y será necesario estudiar más tarde cual es su filosofía, qué espíritu los norma,
qué se propuso al escribirlos. Aquí basta se-
ñalar sus relevantes cualidades literarias,
pues la sencillez de esta obra sólo autoriza
este sencillo preliminar, escrito, principalmente, para los lectores no mexicanos.

La analogía temática de sus novelas re-
fuerza la unidad que les da la posición social
de los personajes. No pasan éstos de unas a
otras, y apenas si es nexo de algunas Ciene-
guilla, ciudad imaginaria; pero varias llevan
como subtítulo **Cuadros y Escenas de la Revolución Mexicana.** Azuela describe la ciudad,

los pueblos y el campo durante las postrimerías del Gobierno del Gral. Porfirio Díaz, en
María Luisa (1907), **Los fracasados** (1908),
Mala yerba (1909) y **Sin amor** (1912). En **Andrés Pérez, maderista** (1911) y **Los caciques**
(1917), sirve de fondo a la acción la primera
etapa revolucionaria, encabezada por Don
Francisco I. Madero. **Los de abajo** (1916) evoca el período más intenso de la lucha, los caó-
ticos años de 1914 y 1915. En **Las moscas**
(1917) vemos a los parásitos del Presupuesto,
en vano oxeados. **Domitilo quiere ser diputa-
do, Cómo al fin lloró Juan Pablo y Las tribu-
laciones de una familia decente,** publicadas en
1918, muestran aspectos de la vida mexicana
entre los transtornos de la guerra civil. Final-
mente, **La malhora** (1923), **El desquite** (1925)
y **La luciérnaga** (1932), reflejan la subversión
de los valores morales tradicionales, repercu-
sión del gran sacudimiento social. Todas esas
obras forman, pues, un conjunto, un vasto pa-
norama de México durante un cuarto de siglo.

Fuera, aunque ligado a él por lazos ideo-
lógicos, hay que poner los dos últimos libros.
En **Pedro Moreno, el insurgente** (1935), revi-
ve la noble figura del héroe epónimo de Lagos
de Moreno —ciudad natal del novelista—, in-

mortalizado por su gloriosa defensa del "Fuerte del Sombrero" durante la Guerra de Independencia. **Precursores** (1935) contiene las
biografías noveladas de tres famosos foraji-
dos del siglo XIX, que vislumbraron más o menos el anhelo de reivindicación del indio des-
poseído de sus tierras.

Cabe terminar esta rápida reseña biblio-
gráfica mencionando la obra dramática que ha
estrenado Azuela: **Del Llano Hnos. S. en C.**,
tres actos sacados de **Los caciques.**

En todos sus libros, la técnica, más depu-
rada en los recientes, es la misma: un realismo escueto, cuyo vehículo es, de preferencia
a la descripción, el diálogo. En **La Malhora.,
El desquite** y **La luciérnaga**, adopta una nueva "manera" y, sin demérito de la narración,
ahonda la psicología de los personajes. Tal ob-
jetividad presta a la obra literaria de Azuela un tono peculiar. El novelista describe me-
dios que, como médico militar revolucionario
y, después, de menesterosos, ha conocido. Su
pesimismo —que muy a menudo acude para
expresarse a la ironía y al sarcasmo y que
no le veda escribir páginas e inclusive relatos francamente humorísticos como **Las mos-**

cas— es el de un hombre que ha contemplado de cerca la miseria moral y física de los hombres.

No quiere decir esto que haya calcado "trozos de vida", siguiendo la receta del extinto naturalismo. Se ha supuesto que **Los de abajo** tiene páginas vividas y que su protagonista, Demetrio Macías, es un retrato de Julián Medina, famoso guerrillero. Sin embargo, dice Azuela, en ese libro todo es imaginado. En cambio, agrega, **Mala yerba,** que se creyera novelesca desde el principio al fin, es la transposición literaria de un suceso real. Pero este caso es único en su obra.

La **mala yerba** del título es una familia de hacendados, arraigada en México desde las postrimerías del virreinato. Importa poco el abolengo: el novelista presenta, genéricamente, criollos opresores, sin otra ley que la satisfacción de sus apetitos, fáciles sultanes de bellezas indígenas, tiranos de peones y, en la generación más reciente, faltos ya de los bríos de sus antepasados, que fueron "hombres de pelo en pecho". Al temor y al odio se mezcla en los oprimidos la ingenua admiración hacia el amo, buen jinete, hábil lazador, hombre de éxito, dominador de caballos y de hembras. **Mala yerba,** por ser la pintura del estado de

cosas que dió motivo a la Revolución, consti-
tuye un apropiado prólogo a la lectura de **Los
de abajo**. En menor grado lo son también **Sin
amor** y **Los caciques**, con la diferencia de intensidad determinada por el hecho de que la
tiranía de **los de arriba** —tema de ambas novelas— se hacía sentir menos en las poblacio-
nes que en el campo, y fueron los campesinos,
por tanto, los principales actores del gran drama. Aquellos infelices vivieron aletargados en
la servidumbre y la ignorancia. Y su despertar —descrito en **Los de abajo**— fué terrible,
pues no encadenados por la educación los instintos propios del hombre primitivo, la libertad sin disciplina en que de pronto se encontraron, fué, en no pocas ocasiones, la de Cali-
ban.

Guarda valor **Mala yerba** de documento
sobre una época y, ajena a modas y a "ismos",
no ha envejecido como obra de arte. Dos tra-
ducciones atestiguan que, a más de ser gus-
tada en México y en los demás países de lengua castellana, es capaz de interesar a públi-
cos menos afines con nosotros, de idioma y
de espíritu diferentes, al lector cosmopolita;
junta la calidad humana al color vernáculo.

Opiniones más autorizadas que la propia
sobre la labor literaria de Azuela, terminarán

estas páginas de manera adecuada. El ilustre
escritor Valery Larbaud, en su excelente prólogo a la traducción francesa de **Los de abajo,**
no titubea en recordar, como referencia en
cuanto a estilo, el alto nombre de Tácito. Y el
perspicaz crítico francés Marcel Brion, a propósito de la agonía y muerte de José María en
La luciérnaga, menciona a Dostoyewski. Ci-
tas suficientes para demostrar que en Mariano Azuela tienen las letras mexicanas un
novelista de talla mundial.

J. M. GONZALEZ DE MENDOZA

I

Encorvado y trémulo, apoyándose en un leño a guisa de bordón, salió señor Pablo de una mísera casuca, y de cara al poniente, una mano en visera para ver mejor, gritó carraspiento y desapacible:

—¡Eh, Marcela: anda, muchacha... corre, que ai vienen ya las vacas!

De trecho en trecho, en un amontonamiento de nubarrones como de cinc gaseoso, se abrían claros dejando escapar finísima llovizna de sol tamizado, en anchas ráfagas de luz pálida. Hacia el orto espumeaban níveos copos de errantes nubecillas. De vez en vez, parvadas de avichuelos se levantaban del llano llevándose en sus alas, en cristalización de luz, los débiles destellos del ocaso. Saturado de tenues aromas, el aire precursor de la tormenta soplaba rumoroso, sacudiendo las cimas de los olmos y arrebatándoles lustrosas hojitas verdes. En medio de inmensos cuarterones de tierra arada, bamboleábanse las cabezas oscuras de los mezquites solitarios, encrespando sus rizadas cabelleras.

Bajo una franja perla de sol, tramontando la colina, asomó el reguero de vacas en retorno, como un puñado de patoles vivamente coloreados. Un grito atiplado y un silbido de cuando en cuando, ensordecidos por la lejanía, anunciaban la vuelta de la ordeña.

Tras la tarde nublosa veníase la noche cargada de

tempestad. Las reses desaparecieron en una hondonada para surgir de nuevo ya en la cercanía. La voz y los silbidos del vaquero se hicieron ·netamente perceptibles. Vacas pintas de negro y blanco, hoscas de dorados lomos, barrosas de pelo sucio, en un vaivén de sepia deslavado y negro endrino.

—¡Aija!... ¡aija!... ¡aija y aija!...

A cada grito, un silbido vibrante rasgaba el aire.

Del jacalucho salió presurosa una muchacha, apretando los ojos como si la luz hiriese sus pupilas. Cogióse la raída falda de chomite en un puñado y echó a correr por el linde del sembrado. Contoneábase su recio cuerpo pubescente cual ancas de potranca, sus pies chatos y desnudos castañeteaban en el suelo con firmeza montaraz de animal que no siente ni pedruscos ni malezas. Se tiró por el barrial, acopiando tepetates en su ancho delantal azul.

—¡Aija!... ¡aija y aija!...

El grito vigoroso del vaquero se reforzaba ahora con el no menos vibrante de la hembra.

Erguida, levantando gallardamente un brazo, lanzaba terrones que se hacían polvo en los flancos de las vacas. A cada impulso se estremecían sus duros senos y sus carnes frescas y pujantes se delineaban airosamente.

Gran tarde, triunfal hasta de la mansedumbre anidada en los bovinos ojos. Las reses, alborozadas de improviso, llegaban al corral retozando, después de haber hecho vanos los esfuerzos del vaquero y de la muchacha por alejarlos de la labor. Las cañitas apenas se alzaban un palmo del surco y si era un peligro el ape-

tito goloso del rumiante, mayor lo era la pezuña que
pasaba dejando destrozos por el surquerío.

Señor Pablo, a pesar de su corcova, de sus frági-
les miembros de octogenario y de sus ojos de cristal
apagado, abrió con presteza la puerta del corral, sacando una a una las agujas de pesado encino que iban de
un lado a otro de dos enormes cuartones verticales de
mezquite. Vacas barrosas de ancho braguero blanco,
atigradas de narices romas, negras de melancólicos ojos,
no pudiendo gastar más sus arrestos en alegres corre-
rías, aglomeradas a la puerta se embestían. Resbalaban
las encornaduras por las ancas de las vecinas o se encontraban en ruidoso choque.

Renqueando de tanto corretear, flojamente caído
el calzón de un lado hasta el huarache, remangado el
otro hasta la raíz de su cobrizo muslo, el vaquero se
detuvo a corta distancia de la muchacha, mientras el
ganado seguía entrando. De uno de sus hombros pen-
día erizo capote de palma enrollado, en una mano llevaba la honda y un manojo de tronadoras aromáticas
en la otra.

—Vete... vete... que el amo nos está mirando
—dijo ella.

Lejos de cohibirse, el mozo dejó blanquear sus
dientes en una sonrisa socarrona, le arrojó a la cara el
puñado de flores y pasó de largo, murmurando:

—¿El amo?... Pa ponerle las chivarras...

El amo don Julián era un seco grandullón, forra-
do de gamuza de los pies a la cabeza, de alazanado bi-
gotillo y ojos dulzones, un tanto afeminados. A un lado de la puerta del corral escuchaba la plática interminable de señor Pablo, el sirviente más viejo de San

Pedro de las Gallinas. Buenas migas habían hecho el fiel jornalero y el vástago más tierno de los Andrades: aquél por su ascendiente de experimentado campirano y servidor de los más apegados a la casa, y éste como niño mimado a quien sorprenden los mostachos todavía a la falda de la nana (que de eso y más hubiese servido el viejo bonachón.) Pero a últimas fechas se habían resfriado sus recíprocas confianzas. Señor Pablo husmeaba que el niño le hacía el amor a su hija Marcela, y aunque no diera crédito del todo a los rumores que le llegaban, porque bien sabía de lo que es capaz una mala lengua, no por eso dejaba de inquietarse, en previsión de un desastre cierto, si la muchacha le daba oídos.

Tampoco a Julián Andrade le satisfacían ahora las pláticas de señor Pablo, cuyo carácter se había ensombrecido mucho desde que en sus ojos lagrimeantes aparecieron las opalescencias de las cataratas. En vez de divertirlo con sus cuentos pavorosos de espantos y aparecidos, con sus narraciones pintorescas de asaltos a la diligencia y otras aventuras muy interesantes, había dado en la manía de pronosticarlo todo, y con un pesimismo implacable. El año actual, por ejemplo, se iba a perder: sería peor que el pasado y el maíz llegaría hasta las nubes. Habría una mortandad de animales y cristianos como cuando el *cólera grande*. Hombre de edad y de experiencia, fundaba sus afirmaciones en bases incontrovertibles: el gallo había cantado a las once de la noche; los coyotes aullaron toda la mañana en la Mesa de San Pedro; el cerco de la luna traía puro aire, y ¡qué más! Marcela vió nacer el año nuevo en un apaste de agua: por las señas que

dió podía uno jurar que si ciertamente no sería de
sangre, sí de una sequía fatal.

No escuchaba Julián tan funestos pronósticos, en
primer lugar porque en aquellos precisos momentos el
cielo con sus truenos y relámpagos estaba dándole un
mentís solemne y, además, porque se le quemaba la
sangre de ver el juego que Marcela traía con el vaquero.

El ganado acababa de entrar: a la zaga un magnífico toro criollo, color de jicote, chato, gestoso, de
encornadura abierta y corta, de enormes lomos, enros-
cando lentamente su cola delgada y flexible, solemne
y altivo como un sultán. De vez en vez su negro hocico se alzaba en sordo mugido, en acción de gracias
al cielo quizás porque dable le había sido divertir sus
mocedades con tan abundante serrallo, en tanto llegaba su turno a la coyunda, al yugo y al abasto.

—Buenas tardes les dé Dios —dijo el vaquero qui-
tándose su campanudo soyate y entrando en el corral
con mansurronería irritante.

Marcela volvió también a su jacal con una sonrisa perversa y provocativa.

A Julián no le cabía el furor en el cuerpo. Sus
ojillos azulosos flameaban, un cerco rojizo brotó en
sus carrillos paliduchos de producto degenerado, podrido; y en su rostro se expandieron manchas amora-
tadas de sangre descompuesta.

Rodó un trueno por las nubes, la negrura del cielo creció.

Paulatinamente la luz fué cediendo a la invasión
de sombras que, alzándose de las hondonadas, poco a

poco envolvían hasta las crestas más altas de las sie-
rras lejanísimas.

Entrecerrados los ojos por el hábito de rehuir la
luz, señor Pablo proseguía su cansada plática. La-
mentábase de la poca *hombría de bien* de la gente de
hoy en día.

—Aistá pa no dejarme mentir el mediero de la
Tinaja. ¡Hombre de Dios! ¡Pos no ha dejado enque-
litar la milpa no más por puritita desidia! Esas tierras tan güenas —de lo mejor de la hacienda— no
van a dar este año ni rastrojo. Tierra muy juerte pa
la que se necesita ñervo... no un entelerido que no
puede con la mancera... Nada... que se viene el
yerbaje, las cañitas se tuercen muertas de sed y el
maldito quelite se lo traga todo. Pior me diga asté
de ese del Chiquigüite: deja engramar y en la maco-
lla se horcan las cañitas recién nacidas. ¡Ni pasto pa
las borregas! Y así están todos, señor: uno raya surco sin buscarle la contra a la corriente; otro deja su
labor sin escardar. ¡Qué mano! Pronto habrá tierras
que serán puros barriales, de ponerse uno a llorar.
¡Que bien se echa de ver la falta que hace el amo don
Esteban! Como luego dicen: "naiden sabe el bien
que tiene hasta que lo ve perdido."

Señor Pablo lo dice no para que el niño Julián lo
tome como a modo de regaño ni enojo —¡qué capaz!—
sino meramente como un buen consejo. Al fin todavía estaba muy tiernito para estas fatigas del campo.
Y remataba con su muletilla:

—Mientras Dios la vida me dé, aunque sea con
mi esperencia seguiré haciendo por la casa.

Anudado sobre su bordón, la cabeza entre las rodillas, hacía recaer la charla sobre la cría de ganado fino. ¡Divino Rostro! Aquellos animalazos necesitaban más cuidados y melindres que todo un señor obispo.

Julián dejó al viejo engolfado en su nuevo tema y silenciosamente escapó en seguimiento de Marcela que, con el cántaro al hombro, acababa de salir rumbo al arroyo.

—¡Eh, Marcela, espérame...!

Su voz era quebradiza.

Cerca de un seto de jarales, a la margen del riachuelo, la alcanzó.

—¡Válgame Dios, hombre, no comas ansia! ¿Que no miras que en toavía es de día?

—¿Y a mí qué me importa que nos vean?

—¿A ti no te importa? Pos a mí tampoco; pero sábete que ya me vas cansando con tus modos... y ya no quero ser diversión de babiecos...

Y bruscamente, con inesperada fuerza, retiró el brazo que estrechara su cintura. De un empellón apartó lejos al mozo.

—¡Marcela... Marcela! Mira que tú sí, deveras, me la estás colmando... Marcela, tú me engañas hasta con el más desgraciado de mis peones... Y si sigues así... te juro que si sigues así... ¡Marcela!

Su voz era ronco gemido de bestia frenética, las palabras ardían en su boca, sus dedos se crispaban.

—Pero no; ahora no vengo a reclamarte... Mira, anoche te armaste y por más que te toqué... ¡Te estás haciendo muy mala!... Bueno, a la noche me dejas la puerta abierta. Te la perdono, si es la última que me haces. Mira, si no me dejas abierto... Vamos, Marcela, no seas así...

Y de improviso la volvió a coger en sus brazos, y sus labios sedientos cayeron sobre ella en besos furiosos, por la cara, por el cuello, por el pecho. Ya no veía sangre, su nariz no la olfateaba, no se crispaban más sus manos al deseo de mojarse en esa sangre tibia que escapa de una herida recién abierta. Sus apetitos, espoleados por la resistencia de la hembra, hasta el paroxismo, le daban una fuerza nueva a los alientos atávicos de su especie de machos domadores de doncellas. Y bajo el ímpetu irresistible de la bestia excitada caía vencida la muchacha, pronta ya a ofrendar el holocausto impuesto como una maldición a su raza pasiva y desventurada.

Sonó un puñetazo formidable. Julián cayó con la cara bañada en sangre. Marcela se incorporó y tembló de espanto. A su lado, el vaquero todavía con los puños apretados, con la mirada descompuesta, se mantenía no menos azorado de su hazaña.

—¡Vete... vete, por Dios!...¡vete pronto! —clamó ella, huyendo aterrorizada.

Paso a paso el vaquero se alejó.

De pronto, de entre los jarales salió una ráfaga de fuego y un tiro resonó. El vaquero se estremeció, dió unos pasos más, se bambaleó y cayó desplomado.

La tormenta se cernía ya en la negrura de la noche: el relámpago abría su bocaza de fuego y con estrépito avanzaba la tempestad, desencadenada, por las cimas de los árboles y por las peñas de la Mesa de San Pedro.

II

—Ande, cuente, señor Pablo —exclamaron los peones haciendo ruedo al viejo, que después de haber lanzado una maldición al asesino del vaquero, salía tembloroso y sollozando.

—Sí, ahora sí voy a decirles quiénes son estos desalmados y de qué raza penden. ¡Ladrones, bandidos de camino real, así como se los digo!

Habló enardecido y ya bajo el peso abrumador de la revelación que iba a hacer. Volvió una vez más su rostro de roble milenario hacia el interior del cuartucho, donde sobre un petate se estiraba rígido el vaquero, en medio de cuatro flacos cirios.

Espantados de antemano, los rancheros esperaban la relación que, como de viejo, mucho habría de interesar y ahondar en sus molleras atiborradas de leyendas y consejas. Graves y poderosas serían seguramente las razones que lo decidían a decir mal de los patrones, él que siempre había sido la más viva alabanza de ellos.

Echó muchos improperios y a cada uno, su voz se hacía más trémula. De cuando en cuando sus brazos sarmentosos se levantaban trágicamente. Afilados y descoloridos, los rancheros se espantaban de las tonantes imprecaciones, como en remotos tiempos los cristianos de una excomunión mayor.

Invocaba señor Pablo el Gran Poder de Dios y clamaba justicia al cielo contra aquella raza miserable de asesinos. Cayó luego en una pausa prolongada, atrajo a su memoria cansada los hechos que habría de referir. De pronto, como volviendo en sí, preguntó por tío Marcelino, que era como uno de los oídos de don Julián. Le aseguraron que el hombre no había asomado las narices por todo eso, y entonces el viejo se dispuso a hablar.

Del jacal se escapaba cálido olor de muchedumbre aglomerada. Se rezaban rosarios y rosarios sin descanso. De vez en cuando se oía un canto horriblemente lúgubre, el *Alabado* que ha de entonarse para ahuyentar al diablo. Ahí estaba el muerto, cubierta la cabeza con ancho pañolón floreado, su camisa de manta nueva restirada sobre el pecho y dejando escurrir un filetillo de sangre negruzca en los tepetates. Las amarillentas velas goteaban, formando torcidas cabelleras en torno a su flacura mortecina. El rumor monótono de los rezos se rompía a las veces por el aullar lúgubre de los perros azorados

—De valientes tenían fama los abuelos de mis amos, los que de allá de las Españas, del otro lado del mar, vinieron a este reino. ¿Valientes? Deveras que sí: ni quien se los niegue, ni quien se los quite. De éstos, de los de hoy en día, nada tengo que decirles: ustedes los conocen, ustedes los están viendo. ¿Cuándo en jamás de los jamases se ha visto que le hayan pegado a un hombre como Dios Nuestro Señor manda? ¿Cuándo uno de estos mancebitos ha peleado pecho a pecho y sin chicana? No, eso nunca lo verán sus ojos. ¿Ellos? cortarle la cara a una mujer, clarearle el estómago a sus queridas. ¿A los hombres? Cazarlos

como a las liebres. No miento, siñores, no miento.
Aistá mi ahijado, aistá la muestra con este probecito
muchacho. Porque, sí, siñores, el tal Julián lo ha
muerto. Mi ahijado estaba platicando sanamente con
mi hija; el don Julián escondido entre los jarales; y
todo fué un dicir Jesús: el tiro que suena y el muchacho que cai redondito. ¿Eso es ser valiente? Raza
de asesinos... raza de bandidos... Pero no lo hurtan,
lo heredan.

Sofocado por la excitación, descansó breves instantes.

—Ya había oído yo dicir, señor Pablo, que los
patrones fueron de mero camino real.

—Cállate, muchacho entremetido. ¡Mocosos estos! Les falta la esperencia; no saben que una palabra les puede costar la pelleja. Ustedes oigan, vean y
callen. Déjenme hablar a mí solo: al fin ya estoy más
pal'otra que par'esta. Tantas veces le he mirao la cara
a la muerte que hasta le voy perdiendo el miedo. Que
me maten ellos o que me mate Dios que me crió ¿qué
más da? ¿De qué sirve en el mundo un carcaje como
el mío? Sí sé decirles que mucho y muy grande será
el consuelo que me quede, contándoles, antes de estacar
la zalea, quiénes jueron estos tigres sanguinarios, los
Andrades.

Su voz se hacía cada vez más solemne; chispea-
ban sus ojos concentrando la poca luz que aun quedaba
en sus pupilas empañadas.

La luna caía de lleno en el patio y daba a los
rostros un aspecto pavoroso.

—Vengaré a mi padre, aunque sea de puro pico... Pos ai tienen ustedes no más que un día llegaron

a este México dos gachupines muy mancebos y muy
bien dados; pero más limpios de morralla que las pal-
mas de mis manos. Contaba mi padre (que Dios tenga en su santo descanso) quizque los traiban como
lastre de lotro lao del mar. Hombres muy aguerridos
que en luego, lueguito, se dieron a conocer por su hom-
bradía, de mera ley. ¡Lo que se llama valientes! ¡Y
qué hombrazos, Señor de la Misericordia! ¿Han visto
ustedes el San Cristóbal de San Francisquito? ¡Hum!
pos digan que eso es nada comparao con el mentao don
Inacio. Con una se las cuento todas. Una vez, por
lo que ustedes queran y manden, un cristiano hizo em-
berrenchinar al amo don Inacio Andrade. Quén sabe
a qué palabras mayores llegarían que el amo se puso
redepente de tostar chiles. Peló los ojos, buscando
piedra, garrote, algo... Nada, no más la silla de montar en mero en medio del patio. Verla el hombre y
echarse sobre ella todo jué en un abrir y cerrar de
ojos. Derechito al sable le da el jalón, y ahí vienen
con todo y sable, la funda, las tapaderas, las arciones,
el fuste y hasta los suaderos. Y todo le pasa volando
sobre la cabeza hasta cair del otro lao, mientras que la
espada reluciente como el sol, se le queda pandeando
en la mano. ¡Ese mero era el amo don Inacio!

Abría muy grandes los ojos, rendido por la misma
emoción, repitiendo con iguales palabras, gesto y pausa, aquel relato tan bien sabido ya de todo el rancho.
Era uno de tantos arrebatos de irresistible admiración;
la parálisis que agarrota al lebratillo ante el hocico
abierto y los ojos fascinantes de la boa. No obstante
otros propósitos, todos se sentían arrastrados por un
acto de ciega veneración hacia el hombre superior: el

hombre-fuerza. Influencias ancestrales los inmoviliza-
ban al pie de sus propios verdugos.

El viejo nada nuevo había dicho, pues, y los mozos
se sintieron defraudados. Quizás fueran ciertos los rumores: "A tío Pablo le falta un tornillo en la cabeza."
Pero comenzando su nueva narración, su voz tomó in-
flexiones imprevistas. La llegada de los Andrades por
Veracruz a México. Su primera aventura en el camino costeño, que habría de decidir de su suerte. Ellos
venían en la azotea de la diligencia, a precio ínfimo
de pasaje, entre maletas y baúles. Adentro un viejo matrimonio español de regreso de Europa a sus ricas
propiedades de América. Los asaltos a la diligencia
eran el pan de cada día. Y en un asalto se realiza la
proeza portentosa de los hermanos Andrade: que los
tres solitos ponen en fuga a los bandoleros, dejan pa-
titiesos a sus dos paisanos y al cochero en medio del
camino, y con dos supervivientes se reparten amiga-
blemente el botín.

Los bobalicones escuchan a señor Pablo a baba
caída. Siguen los merodeos por la sierra, nuevos asaltos a los caminantes, robos fabulosos por haciendas y
poblachos.

—Una madrugada acabaron con sus acuaches, cuando pa nada les servían ya. Y ya buscaban la deresera
del camino real, cuando en lo más cerrado del monte,
en las ramas de un encino, se oye un ruido muy extraño. Alzan la cara y ai no más que se van topando
con un muchacho trepado en un árbol. "¿Pos qué buscas ái, tú?" "Aquí me agarró la noche, amo. Vine con
mi papá a la leña y se me perdió la vereda." "¿Y allá
arriba la andas buscando?" "No, amo: me trepé de
miedo a los animales." Los gachupines han de haber

entrado en temidecies. ¡Pué que el muchachillo los hubiera visto matar a sus compañeros! "Bueno, pos lo ques hora la sigues con nosotros. Tampoco sabemos bien a bien el camino y a ver si juntos damos con él." El mancebito no tenía pelo de tonto. Echó de ver que si no les decía sí a cuanto ellos quisieran, la tenía ya segura al otro mundo. Pos tan bien supo metérseles a los siñores que cuando llegaron a tierra de cristianos era ya su mozo de estribo. Nueva vida, costumbres las mesmas. Compran ganado y lo revenden y siguen haciendo plata. No les miento a ustedes, cuando compraron esta hacienda —contaba mi padre— la pagaron en puritas onzas de oro y a basca de gato. Y ahora comienza lo mero güeno, siñores. Con harto dinero, dueños de muchas haciendas, no hubo uno que les dijera, *por ai te pudres*. Y el que quería dar guerra no la daba pa rato: se lo quitaban de enfrente en un decir Jesús. *Al que no le guste el fuste que lo tire y monte en pelo*. Dende entonces naiden ha hecho más desgracias con los probes, que estos demonches de Andrades. Y digan ustedes que hoy es nada...

—¿Y el muchachillo, pues en qué paró, señor Pablo?

—Allá voy, hombre; déjame resollar...

Se limpió el sudor que escurría por su ardorosa frente, con ancho pañolón azul, deslavado y burdo.

—Ese inocente lo sabía todo; esa criatura vido cuando los ladrones llegaron cerca de donde él hacía su leña y vido cómo acabaron con sus compañeros cosiéndolos a puñaladas. Vivía en un ranchito de la sierra y no les tenía miedo a los ladrones, porque ellos de por sí no son malos: nunca dañan al probe; de lo

contrario, si uno les hace una valedura no se dan por
bien servidos. Pero viendo lo que vido, se llenó de
azoro y se trepó a lo más alto de un árbol. Cuando
lo jallaron, hizo de tripas corazón y ya no buscó más
que salvar el cuero. Bueno, pos les digo a ustedes
que los Andrades no han tenido nunca un sirviente a
quien haigan querido tanto. Aguerrido como ellos, les
daba la mano en toititas sus travesuras. Pero ¡la de
malas! El tal Marcelino le tenía idea y un día lo em-
borrachó, y lo hizo desembuchar cuanto de los amos
sabía. ¿Las resultas? A los pocos días amaneció desbarrancado abajo de la Cuevita.

—Entonces ese era, pues ¿su padre?...

—Mi padre, sí, siñores. El que les sirvió de rodillas para que lo mataran como lo harán conmigo el
mesmo día que esta plática se sepa... Epa, tú ¿no
anda por ai tío Marcelino?

Los peones se miraron. Y fué su silencio solemne y terrible: juramento tácito de callar y de vengar
más tarde la sangre de tanta víctima desventurada.

Señor Pablo, que jamás había llorado delante de
hombre, se puso a sollozar como mujer.

Se siguió hablando de la Cuevita. Escondite situado en escarpaduras inaccesibles de la Mesa de San
Pedro, en donde los Andrades cometían los asesinatos
que necesitaban guardarse en absoluta reserva. Nadie
más que ellos mismos y sus cómplices conocían su entrada. Abierta en la viva roca, un peñasco la tapaba
por completo.   ,

—Ora sí, muchachos, ya es tiempo. Váyanse ya.
Apenas llegarán cuando el sol esté alto. Pronto esta
gota serena me quitará la vista poca que Dios me ha

dejado: pero todavía se me afigura que destingo el lucero de la mañana.

Hubo un rumor general. El cadáver del vaquero, que parecía haber crecido mucho, fué levantado en brazos de cuatro garridos mozos y puesto en un cajón negro con ancha cruz blanca a todo lo largo de la tapa. Las mujeres lloraban, el aullido de los perros crecía. Muchos hombres, la mirada tristemente puesta sobre el féretro, esperaban de pie para formar el cortejo.

Entonces apareció tío Marcelino.

—Gertrudis, que digas en el Registro Civil que murió de jiebre.

A los que momentos antes expresaran entereza, echando maldiciones de los Andrades, la presencia de tío Marcelino les convirtió en humo sus bravos arrestos. Apenas si Gertrudis se atrevió a gruñir una insolencia, escurriendo el bulto rumbo a su casa, eludiendo el cumplimiento de la orden.

Partió la fúnebre procesión por el camino real y de pronto rompióse el imponente silencio de los campos de nuevo con el *Alabado*, aquel canto que brotaba de los varoniles pechos con desgarradora melancolía y tristeza sobrehumana. Dijérase el canto de muerte no de un hombre, sino de una raza entera, enferma de siglos de humillación y de amargura.

Muy satisfecho, el Sargento rendía su declaración frente a la desteñida mesa del juzgado y ante el negro humor del señor Alcalde Constitucional de la Villa de San Francisquito.

No era pobre hazaña, a la verdad, la del jefe del destacamento rural. En una sola noche se había despachado a descarga cerrada a un viejo maestro de abigeato, desolación de criaderos y espanto de serranos; luego daba de narices con el cortejo fúnebre que iba por el camino de San Pedro de las Gallinas, descubría un lío, aprehendía a los sospechosos y, para rematar la faena, en un dos por tres se apoderaba de don Julián, el matoncillo más feroz de los Andrades.

—Acabábamos de cumplir con el encarguito del señor Director Político —proseguía con entusiasmo, sin reparar en la actitud francamente hostil del supremo magistrado— cuando a eso de las cinco, al bajar la sierra de San Pedro, oímos el *Alabado* allá por el camino real. "Vamos, muchachos: donde hay difunto hay mezcal. A ver si la Providencia nos socorre con un traguito para esta desvelada." No le miento a usted, señor Juez: tres noches de fatiga, tres noches de no pegar las pestañas. Desde que el periódico hace su escándalo, nos cuesta mucho trabajo hacerles el deber a todos los que tenemos en lista. Hay que caminar leguas y más leguas hasta dar con algún rinconcito adonde esos amigos del chisme no alcancen con las narices. Y quebrando hoy uno aquí, mañana otro más allá, nos llevamos una friega de cien mil... de a caballo, con perdón de usted, mi jefe. Ya verá si a esas horas nos caería mal un aguardientito. Bueno, pues para no cansarle su atención, en menos que se lo cuento bajamos al camino real. ¡El sustazo que les dimos! Nos tienen tanto miedo a los de la Montada, que la verdad ni se las olí siquiera. Les pedí la mañana y nos la dieron de buen modo; para repetir, naditita que nos hicimos del rogar y ya después del último trago, cuando nosotros cogíamos nuestra vereda y ellos seguían por su camino, no sé por qué me vino al pensamiento preguntarles por el difunto. Y esa fué una de hacer pucheros y de mirarse unos a otros y de querer hablar todos y no animarse ninguno. Pues, no señor, que les destapé su contrabando. Sin más ni más hago que abran el cajón del muerto. "A ver, amigos, ¿por qué está esa camisa llena de sangre? Ustedes no se perjudiquen, yo ya lo sabía todo y no más los he querido tantear. Si me dicen la verdad, tan amigos como siempre, pero si me quieren contar cuentos, a más de alguno trueno" "Pos la mera verdá de Dios —respondió el menos aturdido— nosotros nada de criminoso tenemos en esta muerte y si lo llevamos a enterrar es porque fué nuestro compañero, y..." Y luego se hizo bolas; pero lo que pude sacar en claro fué que don Julián Andrade es el asesino. No quiero cansarlo, señor Juez: aprehendí a unos cuantos, que se los tengo aquí afuera, y a don Julián le puse un cuatro en el que cayó como una zorra. Nos arrimamos calladitamente a la hacienda de San Pedro, azorrillé la mitad de

mis muchachos entre los nopales, a espaldas de la casa
grande, con orden de atrapar a cualquiera que buscara
salida por la puerta de campo. Entonces llegué con
mis otros soldados por el frente, armando gran escándalo. "Que se dé preso don Julián Andrade y que si
no me lo entregan por la buena, yo lo saco vivo o
muerto. Y que esto y que lo otro." En ésas salió
un ranchero de malos modales, pero a quien un cinta-
razo a tiempo le apagó el coraje. Y ya todo paró en
negarnos a su patrón. Estábamos en esa porfía: él a
que sin orden por escrito de las autoridades no nos
dejaría entrar, nosotros a vocifera y vocifera, dándole
no más tiempo al tiempo, cuando ahí vienen mis muchachos con la prenda bien trincada. ¡Ja, ja, ja! Ni
campo le dimos de vestirse; venía en paños menores;
y de por el amor de Dios nos pidió que siquiera le
diésemos licencia de ponerse sus trapitos. Y aquí los
tiene usted a todos juntos: al viejo que rindió ya su
declaración, a un tal Perfecto Romo que dice que lo
sabe todo y a una muchacha que anda también enre-
dada en el cuento. Ahí tiene a don Julián Andrade...
y a su servidor para lo que a bien tenga el jefe que
mandarle.

Cuadrose militarmente, una mano recta en el cha-
có, la otra al borde de la cinta roja de su enlodado
pantalón, y haciendo girar sus talones gallardamente,
se despidió.

El Alcalde echó sapos y culebras entre dientes,
inclinó la cabeza sobre su verdosa carpeta, esquivando
el galante saludo, y permaneció callado. Desde que
había llegado al villorrio aquel diablo, como jefe del
destacamento de gendarmería montada, el señor magistrado había tenido que desatender su hortaliza y su

ordeña de chivas, con incontable número de procesos criminales. No parecía sino que por verdadero sport el maldito sargento se dedicaba a echarles mano a todos los valientes que tenían cuentas con la justicia. Pero el caso actual era peor: se trataba de un Andrade; de sobra se sabía el señor Juez con quién se las iba a haber y porque se lo sabía, el humor se le agriaba mayormente. Avezados a los peores lances, los Andrades eran unos acabados leguleyos; al dedillo conocían los vericuetos y escapes de la ley para salir airosamente del más intrincado matorral. Con más ardides que el más listo tinterillo, sabían salir limpios de toda culpa.

Rascóse, pues, la cabeza, escupió su bilis e inquirió con impaciencia:

—¿Ya está eso, don Petronilo?

—Sí, señor, ya está —respondió el secretario, levantando las narices de entre las hojas del incipiente legajo, luego de apuntar las últimas palabras del sargento.

—Que pase el acusado... ¿Por qué delito se le trae aquí, don Julián?

—Yo qué sé... salía de mi casa, dos soldados se me echaron encima, me trincaron y me trajeron: eso es todo.

El Alcalde hacía su interrogatorio como distraído; sin levantar los ojos, destrozaba, insistente, una mancha de tinta en la carpeta con la punta de su cortaplumas.

—¿Qué ropa traía cuando salió?

—En paños menores.

El reo vaciló al decir estas palabras: veía el lazo.

—¿En paños menores? Es muy extraño. A ver, explíqueme usted...

—Salía... digo... a cierta necesidad...

—¡Hombre! ¿Usted es de los que salen al campo a eso?

—Mi padre está enfermo, duerme en un cuarto inmediato al mío y yo debía pasar precisamente por allí... No duerme más de un ratito en la madrugada. Por no despertarlo, pues, preferí salir al campo.

—Pues es una salida muy... cándida, don Julián.

—Respondo a lo que me pregunta.

Julián se puso altanero y el Alcalde se amostazó. El interrogatorio se complicó en detalles topográficos y otras minucias, sin resultado práctico alguno. Y como por tal camino nada se sacaba de provecho, el juez enderezó sus preguntas por otro derrotero.

—Convengo, don Julián, en que todo eso que me dice usted sea cierto; pero no me explico entonces por qué se negó a la autoridad.

—¡Claro! A mis hermanos tantas veces han ido a molestarlos con chismes de estos, que ya nuestros sirvientes tienen la costumbre de negarnos a toda gente de armas, sea quien fuese.

—¡Perfectamente! Vamos a otra cosa. Conque antier, a las seis de la tarde, ¿en dónde se encontraba usted?

—En la hacienda; estaba mirando llegar el ganado. Veo las reses y las cuento: es costumbre mía.

—¿Usted conoce a Marcela Fuentes, don Julián?

—Sí, señor.

—¿La vió usted esa tarde?

—Sí, señor.

—¿Y tuvo ocasión de hablar con ella?

—Cuando acabó de entrar el ganado ella salió por agua al arroyo y yo la seguí.

—¿Y...?

—Nada, que la seguí porque...

—¿Porque...?

—Porque es mi querida.

Ante tan inesperado arrojo, el Alcalde se detuvo perplejo y conturbado durante cortos instantes.

—Hace usted bien —habló después con emoción y vacilante— hace usted muy bien en seguir este camino que es el más corto y el único que lo puede favorecer. Si, don Julián debe saber que el Juzgado tiene ya los datos necesarios y que si lo interrogo a usted es sólo por llenar las formalidades de la ley. Por consiguiente, con su declaración y sin ella... ¡ps!... Es evidente pues, que su confesión franca y llana le da derecho a todas las atenuantes. Para abreviar le suplico que me aclare sólo un punto oscuro todavía: uno de los testigos asegura que usted le pegó a Jesús Rodríguez siendo agredido por él; pero hay otro que asegura que el agresor fué usted. ¿Podría darme algunas luces acerca de este particular?

Julián dijo algunas palabras cortadas, confusas, ininteligibles.

Helado sudor escurría por su frente: había visto de nuevo el lazo ya en los momentos en que iba a caer dentro de él. Su voz, de tan débil, se extinguió. Y ocultando la fuerza de su emocióón, se fingió asombrado y atontado.

—Yo no entiendo... digo... no sé qué es lo que me está preguntando.

—Me acaba de decir que Marcela Fuentes es su amante ¿verdad? Pues tampoco yo entiendo, y puesto que se empeña en que hemos de ir parte por parte, vamos despacito, pues; pero le aseguro que así sale perdiendo. Dice que el amante de Marcela Fuentes es usted. Bien. ¿Y Jesús Rodríguez, qué era de ella, don Julián? Hay quienes aseguren que el occiso era también amante de esa muchacha. ¡Diablo! ¿De a cuántos se gasta esa chiquilla, don Julián?

El semblante del acusado se cubrió de palidez, cual si le hubiesen fustigado el alma.

El Alcalde levantó los ojos y una sonrisa de triunfo se dibujó en sus labios.

—Ya lo ve: se le pregunta sólo porque ese es nuestro deber. Antes de carearlo con los testigos, léale, don Petronilo, el testimonio de Pablo Fuentes: quizás con eso sea bastante para que don Julián vuelva sobre sus pasos.

Al oír el nombre de señor Pablo, a Julián Andrade se le plegó la boca oblicuamente, y un ojo, medio cerrado de ordinario, desapareció en un fruncido. Breves momentos no más: mientras acumuló sus energías a punto de desfallecer. Entonces, inmovilizado su rostro como una máscara de granito, indomable y altivo, escuchó la lectura de la declaración de Pablo Fuentes.

Don Petronilo, el secretario, era un sujeto mugriento, tartamudo y tan atrozmente miope, que necesitaba meter las narices entre las hojas de los expedientes para cumplir con su cometido. Empezó a gangorear un baturrillo de frases medio comidas, sílabas repetidas dos y tres veces, y con tantas interrupciones, que de repente parecía que su respiración se paralizaba, por más y más grande que abría la boca para alcanzar aire. Cuando terminó la lectura, Julián echaba chispas de regocijo.

—¿Lo oyó usted, don Julián? Un testigo presencial que lo dice todo. ¿Insiste aun en negar los hechos?

—No entendí muy bien lo que el señor leyó. ¿Pablo Fuentes declara haberlo visto todo?

—Todo, sí, señor —respondió el Alcalde en son de triunfo.

La reanimación de Julián fué completa; las líneas de su rostro se enderezaron, irguió su escueta figura, se compuso la cabeza alborotada y, reteniendo apenas un suspiro de liberación, respondió con energía:

—Señor Alcalde, no entiendo nada de lo que usted está haciendo, ni puedo saber todavía qué papel hago yo en este mitote. Creo que se están burlando de mí. Porque, señor, no sé qué pueda haber visto ese infeliz de Pablo Fuentes, enfermo de cataratas, que ni los bultos puede distinguir a toda la luz del día.

—A ver ese expediente, don Petronilo.

Leyó rápidamente la declaración y, serenándose en breve, continuó con calma y gravedad:

—Veremos, veremos. Que entre de nuevo el testigo Pablo Fuentes.

Tentaleando los muros, vacilante el paso, pálida la faz, entró el anciano; levantó la frente y estiró las cejas, esforzándose por recoger la mayor cantidad de luz posible e intentando distinguir las siluetas de los circunstantes. Profundamente inclinada después la cabeza, oyó la declaración leída por el propio Alcalde.

—¿Es cierto lo que aquí está escrito, Pablo Fuentes?

—No, siñores, yo a nainden vengo a culpar, no es verdad que yo haiga visto nada; dije y repito lo que me contó mi hija Marcela, cuando arrendó del arroyo a poquito del balazo. ¡Hum! ¿pos quiba yo a destenguir a estas horas, siñores? ¿Que no miran sus mercedes lo que ya no más me queda de ojos?

El Alcalde, encolerizado, tronó:

—Puede salir Pablo Fuentes.

Luego, volviéndose a su secretario:

—Don Petronilo, ha hecho usted un pan como unas hostias. Es usted el imbécil de siempre. Yo tengo la culpa, por tener estos empleados.

Don Petronilo quiso dar disculpas; pero la lengua se le agarrotó, sin acertar a decir una palabra cabal.

—Ha puesto usted como declaración de ese anciano lo que él contó que le refería la muchacha. ¡Sea por el amor de Dios! ¡Sea por el amor de Dios, don Petronilo!

—¡........!

—No, no me diga nada; mejor cállese. ¡Basta! Que entre Marcela Fuentes.

IV

Momento de expectación: el móvil obligado de los delitos a diario cometidos; entrada en escena de la mujer motivo. El Alcalde no pudo resistir al deseo de levantar la cabeza, levantáronla también el secretario y el escribiente.

Siempre lo mismo: repetición indefinida del tipo con sus dos variantes principales: la especie vulgar, ruda y tosca, tan desprovista de atractivos físicos que hace dudar de que por sus deplorables prendas pueda derramarse una gota de sangre, que obliga a pensar en que los actos a que ella haya orillado a sus amantes tienen tanto de criminales como los del toro que a cornadas se quita de en medio a su rival, el gallo que rasga las carnes al que pretende cantar en su muladar, el triunfo eterno del fuerte; y a veces, muy raras, la muchacha sensual y sabedora del poderío de su carne fresca y sabrosa; la mujer ardiente que provoca conflictos porque en ellos se recrea, que lleva al peligro a sus adoradores para solazarse en él; refinada en el vicio y con la intuición de que la temeridad fustiga el deseo e intensifica el placer.

Marcela entró encogida y con los ojos bajos. El rebozo tornasolado envolvía sus redondos hombros y su ancha espalda; la blusa transparente orlada de encajes, dejaba, a trechos, desnudos llenos y bronceados, las

manos delgadas y nerviosas, el cuello ondulante en suaves estremecimientos, los brazos tersos y bien modela-
dos. Para explicarse el delito de sangre que allí se
ventilaba, era bastante contemplar aquellos ojos dulces, aquella boca plegada a veces por un gesto de natural coquetería. aquella nariz levemente entreabierta
y hecha a las tremulaciones del pecado. El Alcalde
tuvo una sensación de bienestar inefable y dió principio a su interrogatorio, ya de buen talante.

La muchacha habló con timidez, los ojos bajos, las
manos desmenuzando las barbas del rebozo. Impo-
níanla el gesto grave del Juez, la austeridad del local
y la circunspección de los asistentes. A preguntas y
repreguntas fué conducida insensiblemente a referir su
vida de meretriz del rancho. Descorrió el velo de la
hija del campo que, al despertar su pubertad, sabe ya
que su fuerza mayor será el ser codiciada por alguno
de sus amos; que si sus prendas personales logran el
hechizo, mientras dure habrá felicidad en su casa: las
mejores tierras para la familia, los préstamos que no
se apuntan, y para ella las telas de lana y seda, los
listones de raso, las botas de charol, y el hablar recio,
el holgar, el embriagarse en las bodas, fandangos y
ferias, y el ser agasajada por todas partes.

Cuando alzó de pronto los ojos, se quedó atónita.
Encontraba en las miradas del señor Alcalde, del Secretario y del Escribiente, el ardor de una llama muy
conocida por ella. Sus timideces de fingido pudor se
esfumaron entonces, desapareció su turbación, y tuvo
al instante plena conciencia de su poder y la intuición
de la igualdad del hombre, sea cual fuese su jerarquía
social, cuando se ha dejado postergar por el látigo de
la lujuria. Dejose de encogimientos y melindres; sus

ojos matreros que encontraban refugio y simpatía mal disimulados, tornáronse francamente provocativos. Dió a sus palabras acento dulce en armonía con su gesto sensual, con el movimiento de hombros y caderas y con la suave ondulación de su pecho. Su boca se plegó en un mohín que le era peculiar: incentivo y reto para besarla, para morderla, para beberle toda el alma. Sin darse cuenta de ello, el Juzgado caía bajo la influencia de un ejemplar de hembra que acumulaba todas las voluptuosidades del sexo y hacía estremecer la sala entera de lujuria.

Con ingenuidad rayana en impudor, respondió al interrogatorio ocioso con detalles de sus caídas suplementarias: las artimañas para engañar a la fierecilla del amo siempre y en todas partes, sin temores ni zozobras; lo mismo en la espesura del bosque cuando se va a la leña, como entre los jarales del arroyo al oscurecer; en la desolación del barbecho, como bajo el cielo estrellado; en las cuencas negras de las barrancas y entre los riscos asoleados de la montaña: siempre y en donde quiera que el macho poderoso solicitó su inagotable dádiva de amor.

En tan amena como indiscreta declaración se solazaban la ardiente muchacha, como el Alcalde y los presentes al acto judicial. Sobrecogidos de pavor, los pudibundos acólitos de Temis, no podían impedir la profanación de su austera deidad en el propio recinto destinado a su culto: el triunfo magnífico de Afrodita.

Hostigado por el resquemor de las posibles hablillas de sus subalternos, el Alcalde reparó en que hasta aquel instante no se había dicho una sola palabra conducente al esclarecimiento del delito y haciéndose violencia, con voz incierta y apenas perceptible, interrumpió:

—Hábleme usted ahora de lo que ocurrió ayer por la tarde en el rancho, que es por lo que se le ha traído aquí.

Marcela se turbó, volvió a tomar su humilde continente, esperó breves momentos para juntar alientos, arregló su mascada de seda anudada al cuello, abotonó su blusa, e iba a reanudar su declaración, cuando, al volver la cara hacia el patio, sus ojos se encontraron con otros ojos. Empalideció hasta ponerse ceniza; sus líneas se descompusieron; y si el compasivo don Petronilo no le apronta una silla, habría caído desvanecida.

Nada imploraban aquellos ojos de cobra; ordenaban sencillamente, con la inexorable fuerza de quien sabe que tiene que ser obedecido. Pesaba sobre Marcela el poder tremendo de la arrogante raza de violadores a quienes jamás ninguna de sus víctimas entregó a la justicia. Machos hercúleos que con su brutalidad misma llevaban el encanto de su belleza y vigor físicos; atractivos incomparables y supremos deleites de las hembras. No veía Marcela ya al producto degenerado, y enfermizo, al último retoño podrido, sino al amo omnipotente que se adueña de la mujer que se le antoja sin la más leve resistencia.

Su voz opaca y débil y su faz ensombrecida y abatida no tradujeron ya el odio acerbo al verdugo, señor de la gleba. Ahora Marcela decía que ella bajó al agua, que don Julián la siguió, que la requería de amores cuando se oyó un tiro. Que más tarde supo que había resultado muerto un peón; pero que ignoraba dónde ni quién disparó.

El Alcalde, que se creía al cabo de su labor, montó en cólera:

—Usted miente cínicamente; el juzgado no es burla de nadie. Sepa que si sigue mintiendo será puesta en prisión como encubridora del asesinato. Ha dicho su padre toda la verdad y la declaración nueva que está usted dando la lleva a la cárcel.

—He dicho lo que sé —respondió Marcela sin inmutarse.

—Muy bien... Don Petronilo, el careo con Pablo Fuentes.

Entró de nuevo el anciano y escuchó la lectura de su declaración ya debidamente reformada.

—¿Qué dice usted de esto?

—Todo es cierto y muy cierto. Ese es mi dicho, siñores.

—¿Y usted, señora?

—No digo sino que mi padre, como es bien sabido en todo el rancho, no ve, ni oye, ni entiende. ¡Está distráido el pobrecito!

—¿Cómo?...

El Alcalde ardía: ¡Conque uno pretende que el viejo está ciego y ahora la hija resulta conque está loco!

—En seguida el otro testigo, don Petronilo.

—Diga usted, Romo ¿cómo es cierto que Julián Andrade es el autor material del homicidio perpetrado en la persona del que en vida se llamó Jesús Rodríguez?

¡Qué! Por más que el ranchero abre los ojos y estira los labios, le es imposible comprender una sola palabra de la jeringonza del juzgado. Y como Marcela está en frente de él y por detrás está don Julián, el mejor camino que le queda es el de hacerse el aturdido que nada sabe ni entiende.

Media hora de lucha infructuosa. Empapado en sudor, el Alcalde se pone en pie, saca su reloj y menea la cabeza.

—Don Petronilo —susurra al oído de su secretario—, ya va a dar la una: corra, me riega la alfalfa, les echa pastura a las chivas y corta calabacitas tiernas, que de paso le deja a María Engracia.

Luego, mirando al patio:

—Señor Sargento, lleve usted a la cárcel a esta mujer.

v

Murmurando insolencias, Julián Andrade se alejó del jacal de Marcela, despedido bruscamente como perro de casa ajena. ¿Y cuándo, señor? Ahora que venía de la prisión con todo el entusiasmo y fogosidad acumulados en dos semanas de sombra e inercia. Porque Marcela, que supo mantenerse tan bravamente hermética y serena ante el habilísimo interrogatorio del Alcalde, ahora que Julián llegaba desbordante de gratitud y loco de amor, soñando en unos rollizos brazos abiertos, lo rechazaba con gesto hosco y palabras acres, con una negativa pertinaz que extremaba sus deseos hasta el paroxismo. Y era que la presunta prueba de amor no significaba sino lo que la tortilla dura que se arroja al cesto de un limosnero. En sus ojos, en su boca, en sus más insignificantes movimientos no había, pues, más que una repulsión profunda y como escupitajos que le lanzara al rostro.

Por momentos su ruindad y cobardía pugnaban por surgir a su conciencia; en el fondo de su pensamiento se removía la presunción de su crimen, pero al mismo tiempo la convicción del fatuo que siempre encuentra perfecto cuanto peor hace. La idea de su miseria moral y de su envilecimiento se agitó sólo como las ondas de una ciénega removida: ondas que cabrillean y mueren en su propio fango antes de reformarse.

Había llegado ya a las puertas de sus caballerizas. Se detuvo un instante, meneó la cabeza y empujó.

Un Andrade cree en Dios y, después de Dios, en sus caballos. A los ricos y variados ejemplares que sus cuadras albergan debe fama y honores en toda la República. Gentes de ferias y juegos pronuncian su nombre con respeto. Cuando un Andrade sufre o se fastidia, no tiene más que entrar a sus corrales y seguramente que a la puerta dejará cuantas penas le aflijan.

Al chirrido de los goznes relincharon las bestias con regocijo, asomando sus cabezas finas y sus ojos inteligentes por los barrotes más altos de los compartimientos. La luna derramaba en el menudo empedrado del corral entraba en angostas randas pálidas por las bocas semicirculares de los cajones. Julián saltó las trancas de uno de ellos y registró minuciosamente muros y piso. Las paredes estaban limpias como porcelana. (Sin hipérbole puede asegurarse que la habitación de un Andrade mucho tiene que envidiarle a la de sus caballos.) Cogió un puñado de arena del suelo para cerciorarse de que no estaba mojada por las deyecciones de las bestias, sino bien seca y removida. Espolvoreó entre sus manos las pasturas de los pesebres en menudos fragmentos de pajitas plateadas y ligeros granos de cebada. Una yegua orizbaya fijó en él sus ojos cafeoscuros, estremeciéndose al contacto de la mano que pasaba por su terso lomo desde la paleta hasta las ancas. Frotóla repetidas veces para asegurarse de que había sido bañada y pasada por el ayate. Entró después a otro cajón. Un potro negro olfateó y lamió con mansedumbre la mano que se le tendía.

—¡Con una re... tostada, quién le ha montado al Mono?

De un ruinoso jacalucho con acceso al propio corral, salió un mocetón engullendo un taco de tortillas y mascullando:

—Naiden le ha montao al Mono. Yo en persona lo truje al agua.

Luego, limpiándose las barbas con el revés de la blusa y deglutiendo como un buey:

—Sepa su mercé que lo que el potro tiene es que está ispiao. Con la calor y tanto llover se les pica la pezuña. Luego con cualquier rajuela que se le jaiga encajao aistá ya renqueando. Naiden le monta al Mono: sepa el patrón que yo no estoy pintao en la pader, ni de niña bonita pa que naiden venga a divertirse con sus animales.

Sin dejar de hablar, el pastor había entrado ya al compartimento. El Mono era un potro árabe, color de azabache, muy esbelto y arrogante. Gertrudis lo hizo dar unos pasos, le cogió una pezuña entre las manos:

—Ora no más lo verá el amo.

El noble animal se abandonaba dócilmente al hurgar del pastor, mirándolo con curiosidad.

—Espera —dijo don Julián,— deja encender un cerillo; así a tientas no más lo maltratas.

Pero antes de que se encendiera la luz, Gertrudis le puso el predusco en las manos:

—¡Mírelo, aquí está!... ¿no se lo dije?...

Julián no respondió. Chocábale la altanería con que su pastor había vuelto de Morency; pero lo disimulaba en gracia a que era muy cumplido en sus obligaciones. Por otra parte, tan grato le era tener a su servicio aquel insolente lebrón, como pudiera serle un perro bravo. Y a eso precisamente debía Gertrudis el disfrutar en la casa de tantas prerrogativas como cualquiera de las bestias finas.

—No he buscado corredor para la Giralda. Dado el caso ¿te animarías a correrla? ¿Cómo te sientes de las corvas?

—Usté es quien ha de tantearse, patrón; ya sabe que por mi lao no hay portillo. Cierto que he echao carnazas y estoy de peso, pero...

Julián, a horcajadas sobre un travesaño, no hacía más caso de su caballerango. Ya su pensamiento vagaba por otra parte. De pronto dió un salto y se encaminó hacia un rincón del corral apretado de follaje, y seguido de Gertrudis como de su perro fiel se abrió paso entre el herbazal, desapareciendo uno y otro por una angosta hendedura abierta en la pared y escondida por la yerba.

—¡Qué lástima de animal! —exclamó Julián ya del otro lado, deteniéndose ante las trancas de una pequeña caballeriza.— Haber venido a menos por lo mismo que vale tanto.

Una yegua arrogante llenaba con sus ancas redondas todo el delantero de su cajón. Al blanco mate de la luna se apagaba su oro requemado. La Giralda era un ejemplar de formas, proporciones y color y, además de su sin igual gallardía, tenía el mérito de haber llegado a campeón de la República. Nadie supo siquiera el alcance justo de su carrera, porque siempre aseguró su triunfo al arrancar del cordel, y los aconsejados corredores se limitaban a darle la velocidad mínima y suficiente para ganar la partida. Pero eso mismo fué su ruina, porque no encontrando rival se convirtió en onerosa e improductiva carga para sus dueños. Y se la tenía casi olvidada, cuando a Julián se le ocurrió una idea muy audaz y temeraria. Un tapado con los Ramírez, carreros del Refugio, de fama también muy bien habida. Condición única: las bestias habían de ser escogidas precisamente entre las de sus respectivas caballerizas. Se fijaron fecha y monto de la apuesta. Entonces, rodeándose de infinitas precauciones, Julián compró a unos jugadores de Puebla la famosa Giralda y la trajo a San Pedro de las Gallinas una noche, sin que supieran qué bestia había comprado ni los mismos que la condujeron.

—¿Sabe el amo cómo resultaría esto más seguro y gananciaoso? Consiga su mercé la receta que los gringos tienen pa cambiarle el color a un caballo. Yo oí dicir po'allá en Morencia que los tiñen al modo que les da su gana.

—¡Bah!... ¡qué pintarla ni que teñirla!... ¡El que se ensarte que se...!

—Pos será al modo que el amo diga; pero yo sé decirle que los siñores del Refugio son medio corajudos y pué que le den una muhína.

—¿Y a ti te da tos por eso?

—No llega a tanto mi cuidao... no sería el primer cariño que un cristiano me hiciera... o a la visconversa... Lo digo por el patrón.

—¿Por mí?... ¿Piensas, pues, que ésta que traigo fajada en la cintura la cargo con cagarrutas de borrega?

VI

Amostazado todavía, salió Julián Andrade paso a paso fuera de los corrales. En pleno llano y bajo un cielo cuajado de estrellas sintió de nuevo la herida y la opresión tremenda en su pecho.

"¡No faltaba más! La quiero y la tendré. Lo que sucede es que me he vuelto idiota. ¿A quién se le ocurre ir a pedir de caridad lo que por derecho es suyo? Me humillé por gratitud, y con eso la pelada se ha crecido. Mi agradecimiento porque me supo salvar de la cárcel o de algunos miles de pesos mal gastados, ella lo toma como pasión. ¡Ja, ja... ja...! No nace todavía ésa... ¡Bah, con hacerle un cariño, un poco brusco, se amansa!"

Sus pasos ensordecidos por la yerba y su sombra que se deslizaba detrás de las tapias de la casa grande despertaron a los perros de la peonada; se oyeron furiosos ladridos; pero en cuanto los animales reconocieron al amo, se alejaron muy quietos y meneando la cola. Julián tomó por espaldas de la casa de Marcela, atisbó unos instantes y siguió el cercado de huizaches, entrando por la puertecilla trasera.

El viejo roncaba. Marcela en la otra puerta departía con las vecinas. Se oían las voces de los peones cerca de la era. A horcajadas sobre las varas de un carromato empinado algunos, otros sobre el estiércol y

muchos de panza al aire, mirando las estrellas, con-
taban el cuento de "La infeliz María". las pláticas
interrumpidas por los perros habíanse reanudado ya.

—Soy yo, Marcela —habló Julián muy quedo,
acercándose de puntillas.

Marcela en el batiente fingió no haberlo escuchado.

—Pos sí, señá Refugia, cierto y muy cierto, si no
ha sido por mí lo funden y ahí estaría mirando el
sol por cuarterones. No dije nada, ¿pa qué? No le
parece que es no más echarles odiosidades a los de la
casa? A fin de cuentas ni les hacen nada; pagan y,
en menos que se lo digo, ahí están otra vez de vuelta.
Si hay, gracias a que el tal Julián es un don Julián
Miserias; si no, desde cuando anduvieran aquí también sus hermanos dando guerra. Pero por no aflojar
cuartilla es capaz el condenado de dejar que se pudra
en la cárcel a la misma madre que lo parió. Y que
ansina no juera, señá Refugia, ¿con que uno los hun-
da resucita el difunto? Lo que sé decirle de verdá es
que no lo hice por querencia ni mucho menos... Uno
condesciende a veces... cierto... ¿pa qué negarlo?...
Pero esa es ya harina de otro costal. ¿Quién habría
de querer a ese desgraciado que no tuvo valor siquiera
pa matar por delante al difuntito?... Eso sí, señá Refugia, en lo de asesino ni quien se le pare por enfrente
al tal Julián... Así como lo está oyendo... ¿Que me
calle?... ¡Hum, pos usté deveritas no me conoce bien
planchada! Se lo diré a él en sus mismas barbas, si
barbas le llegan a salir al muy...!

Marcela dejaba correr a borbotones las injurias,
embriagada en la venganza más grande de su vida.

Y aquellos insultos que no habrían pasado nunca
ni por la mente de don Julián, lejos de despertar en él
instintos homicidas, que por alusiones más leves e ino-
centes le acometieran otras veces, fueron acicate para
su lujuria como la disciplina para la devota histérica
mordida por la bestia carne. Un calosfrío recorrió su
cuerpo, tremularon sus piernas, y jamás la vehemencia del deseo carnal le acosó con tal furia.

La noche fué asilenciándolo todo; las comadres
se retiraron al interior de sus chozas. Marcela fué la
última. Ni siquiera fingió extrañarse de la presencia
de Julián. Este había caído ya a sus pies sollozante.
De las súplicas reiteradas pasó a la lucha, y la lucha
se trabó encarnizada entre el macho famélico y la hembra embravecida. Para Marecla era un instante de repugnancia infinita. Escapó de repente, y en loca carrera huyó por el llano silencioso.

El se quedaba con piltrafas de sus ropas en las
manos, y ella, casi desnuda, a la luz de la luna, huía,
huía a cobijarse tras las oscuras madejas de los sauces.

Y cuando por final de la carrera, a través de los
campos iluminados de nácar, de una ninfa negra y de
un sátiro escueto, ella hubo de rendirse agotada, él,
lejos de saciarse como el tigre hambriento en su presa,
se echó otra vez a sus plantas sollozando como un
niño.

—¡Aquí estoy!... ¿Qué más quieres, pues? —exclamó Marcela desfalleciente, ansiosa de dar fin a un
tormento que no podía soportar más.

—¡No... así no!...

—¿Entonces... qué...?

—¡Marcela!... que me quieras...

—¡Oh, no...!

—Mira que te puedo matar.

—Mira, Marcela...

A la débil y lechosa palidez de la luna centelló la hoja afilada de un puñal.

—No, no tengo miedo; mátame ya... eso es mejor...

—Sería mejor. Hazlo de una vez.

—¡Marcela!...

—Sí, anda, ya sé que si no es hoy será mañana, cualquier día... Anda, sí, de una vez... ¡Cobarde!... ¡Asesino!...

—¡Marcela!...

—Sí... ¡asesino, asesino!...

—Por el amor de Dios, Marcela, cállate...

—Anda, pégame. A las mujeres sí has de saber herirlas aquí...

Y desgarrando las únicas ropas que cubrían su busto desbordante, presentó el pecho desnudo para que en él se saciara la bestia.

—¿Qué esperas, cobarde, asesino?...

Siguió una escena absurda. Julián, lívido como la muerte, envainó lentamente la daga, y entonces ella, enloquecida, obsesionada por la idea de morir, levantó la mano y se la estampó en la cara.

—¡Marcela! —gimió Julián —no te mato...porque... porque no puedo... porque mira... porque te quiero con toda mi alma...! ¡Te amo, te adoro!

Y volvió a caer de rodillas. Y ella, espantada de vivir todavía, se alejó de nuevo por el campo. Desnuda como una bestia salvaje, solemne cual si hubiese vislumbrado en su conciencia aquel momento de sublime vengadora de su infortunada casta, marchó serenamente en el silencio de la llanura, desnuda como un bronce y bañada por las débiles ráfagas de la luna que se escondía tras las montañas.

VII

Pesare a señor Pablo, sus funestas previsiones resultáronle fallidas: el temporal de lluvias fué un derroche del cielo y pocos años habrían de dar cosecha más abundante que la de entonces.

Aquella fresca mañana de agosto, en el verde afelpado de los milpales tremolaban millaradas de espigas de plata, movibles cual bayonetas de apretada e incontable infantería; los nopales, coloradeando de tunas, desaparecían a trechos bajo los mantos pomposos de las yedras y salpicados por vivísimos matices, azules, morados y escarlatas. Los chayotillos se enredaban a los arbustos; en los cercados colgaban, entre anchas hojas verdes, jaltomates como ojos de liebre asustada. Las trepadoras correteaban y ascendían en intrépido asalto de la montaña. A la falda de la mesa de San Pedro extendíanse pastales inmensos donde un hombre podía hundirse hasta la cintura; franjas de labores verdinegras, dilatadas extensiones de fango bajo un tapiz rosado de moco de pavo, o ricamente recamadas del amarillo cálido del botón de oro. Y diseminadas a profusión por todas partes las estrellas dulces y carnosas; las cinco llagas y mal de ojos de pistilos negros como igníferas miradas de felino. Bajo las estalactitas de esmeralda, de los pirúes y sauces, correteaba dulcemente el arroyo de aguas límpidas y arenas de oro. En recodos sombríos irrumpían lujuriosamente albos, rosados y azules girasoles y calditos como brasas. El perfume del romerillo, del anís del campo, de las maravillas mojadas, se expandía tenuemente en la fragancia del monte. Y en aquel despertar glorioso de la mañana garrulaban millares de millares de vidas, cantando la vida: ensueños de censontles, ternuras de chirinas, querellas de gorriones, sollozos de torcaces, burlas de huitlacoches; millares y millares de piquitos vueltos al sol naciente, pidiendo un beso de luz al prorrumpir de toda una pubertad fecunda ya.

Formando variados grupos en las afueras de la hacienda los peones esperan las órdenes del amo. Se ha dado fin a las labores de beneficio y hay que esperar la madurez propia para los despuntes, durante dos meses al menos.

Entretiénense algunos mozos en reír a expensas de un bienaventurado, haciéndolo rabiar. Arrójanle piedrecillas a la cara; el idiota rumorea una insolencia y ellos se aprietan el estómago, a risa y risa. El sol acaricia con el calor de sus primeros rayos lomos broncíneos, mal abrigados por hilachentos jorongos

Los viejos hacen ruedo aparte. Se comenta la llegada de un americano; unos dicen que viene a comprar caballos finos, otros que a trazar una presa que el amo don Julián tiene en proyecto ha dos años. Tal asunto provoca obligada discusión; todo el mundo sabe de presas y tomas de agua y cada cual se apresta a emitir su parecer. El de señor Pablo es adverso naturalmente; en ese depósito de agua lo que el niño don Julián va a hacer es a tirar su dinero, a regalárselo al gringo.

—Pos si gringo viene a deregir —tercia Gertrudis, el pastor de caballerizas, mocetón robusto que desde su regreso de Morency gusta de tomar parte en consejo de gente seria— si gringo es, ya pueden contar con que la presa está hecha. Yo no sé la que cargan esos demonches, pero pa lo que yo les vide po'allá en Estados Unidos, estas son tortas y pan pintaos. Con dicirle, señor Pablo, que levantan diques de purito jierro.

—¿La que cargan esos gringos? Ya sé bien su diablito... Vamos, hombre, Gertrudis, no nos queras poner los ojos verdes ni seas guaje; la que train es la de llevarse toda nuestra plata pa su tierra. A ver ¿en qué pararon las mentadas vacas holandesas? Unos animalazos quizque de veinte cuartillos de leche no habían de bajar. ¿Y sí?... ¿quién les conoció tamaña maravilla? Lo que todos vimos bien fué que en menos de un año fueron estirando la pata, una por una.

—No, señor Pablo; de eso tienen la culpa no más los patrones. Con sus miserias, con peones de a real y ración, metiendo el ganado en corrales como éste, claro que eso había de resultar. Por allá se hace harta plata, es cierto, pero harta plata se gasta también.

Y ahí dió fin la charla, porque los viejos se percataron de que tío Marcelino había llegado al portal de la casa. Aquella ave negra tenía el don de extinguir la plática más animada con sólo su cercanía. Por otra parte el tal morenciano volvía de los Estados Unidos con unas altanerías y unos modos, de dar miedo. Dispersáronse pues, dejando solo al pastor.

—Este muchacho acabará mal —dijo sentenciosamente uno de los viejos; —se le afigura que todos son monos con tranchetes; y aquí no estamos en su Morencia.

—Si le digo asté, compadre —habló otro— que tamañito ansina me ha dejao lotro día. Ai tiene que tío Marcelino le jué a reclamar por qué no había cumplido la orden del amo, de sacar él mero en persona la boleta de entierro del dijunto Jesús, y que por su culpa habían metido a don Julián a la cárcel. A su güen parecer¿qué piensa que le respondió Gertrudis? Pos quél ganaba sueldo como pastor de las caballerizas y no como alcahuete de naiden. Y que se enoja tío Marcelino y le avienta una manotada, y que el chirrión se le voltió por el palito: ¡ah qué tunda de manazos le ha puesto el muchacho!

—¡Pos que se encomiende a Dios! No sabe el alacrán qué se ha echao al seno.

En el corral se daba ya fin a la ordeña. Las vacas, dóciles, tomaban la puerta, con sus becerros a la zaga, ahitos de chupar ubres enjutas; otras, adormiladas al borde de una zanja, lamían las ancas de sus crías.

—Echate la Hormiga —gritaba el ordeñador con voz cansada.

—¡Eh, Hormiga!...

Se abría una puerta y de un corralillo escapaba a todo correr una ternerita rubia en derechura de la vaca que, sujeta ya por el pial, la acogía tendiendo su hocico en sordo mugido. La becerra atacaba con vigor la ubre rebosante y el ordeñador esperaba a que las tetillas se pusieran erectas para arrebatarla con su tosca mano de la boca espumosa. Suspendía luego al animalito de las astas de la vaca y comenzaba un sonoro chisgueteo de gruesos y blancos chorros de leche.

En el corral saturado del aroma campestre difundíanse el olor del estiércol y el de la leche recién ordeñada.

—¿Quién es ora tu novia, pues, Tico?

El idiota, tartamudo, estiró las líneas de su rostro, las contrajo, abrió enormemente los ojos y después de muchos intentos logró decir:

—Pos... ora es... pos ora es señá... señá Marcela...

Estrepitosas carcajadas acogieron su respuesta. Tico reía también con la malignidad posible a su rudimentario cerebro, dejando entre sus belfos eternamente abiertos y caídos una hebra cristalina.

Avivado el regocijo de los peones, caldeábanlo con insinuaciones cada vez más atrevidas.

—¡Cállense —dijo ceñudo el morenciano— ¿qué no miran que aistá ella y los está oyendo?

Afuera, cerca de su jacal, Marcela, en camisa muy escotada, llamaba a sus polluelos chasqueando la lengua.

—¿Qué dices, Tico? voltea no más... ¡Con razón hasta la baba se te cai!

En un montón de estiércol, los avichuelos, con las patas abiertas y echadas hacia atrás, desparpajaban la basura y hundían sus picos ávidos de gusanillos. Al oír la voz conocida de Marcela, se precipitaron desalados hacia el tamo de maíz que les arrojaba a puñados.

Lejos de contenerse los mozos con el regaño oficioso de Gertrudis, ahora ponderaban al epiléptico las delicias que Marcela prometía. Y Tico, la faz amo-

ratada y cubierta de erupciones, con su eterna sonrisa
de piedra, palpitaba en bestial lascivia.

Quemándose de coraje, Gertrudis no tomaba re-
sueltamente la defensa de la mujer zaherida por la
canalla, sólo por el temor de que lo metieran en chismes. ¡Bonito papel el suyo entonces!

Picoteaban los animalillos con frenesí; una polla
cayó sobre el grano que otra le disputaba; se armó la
contienda, el gallinero entró en alboroto, las conten-
dientes se persiguieron, todas cacarearon, hasta que el
gallo se percató del sucedido, irguió su cabeza de asesino malhumorado y gruñó sorda amenaza. Con lo
que bastó. Tres picotazos sin consecuencias; unas
cuantas plumas al aire y se acabó el escándalo.

Marcela regresó al jacal sin volver los ojos siquiera a los gandules; pero al entrar hizo tal rabieta que
el rabón chomite se untó a sus muslos y a sus piernas
bien formadas, descubriéndolas hasta muy arriba de
los tobillos.

Los peones aclamaron con entusiasmo:

—¿Viste, Tico, qué chamorros tiene tu novia?

Y prosiguió la broma para el bienaventurado cuya vida inferior estriba en comer, en rascarse la barri-
ga al sol y en seguir la primera falda que se atraviesa
en su camino, hasta que un recio puntapié le apaga
los alientos o el acceso epiléptico lo tiende despata-
rrado.

—La Marcela te echó ojo —rumoreó Andrés al
oído del morenciano.

—¿A mí?... ¡Bah, se necesitaría no tener vergüenza! Ni me andes diciendo, porque de verdá te
digo que maldito lo que esas chanzas me cuadran.

Hubo un movimiento repentino en toda la peonada; todos se pusieron de pie. Al crujir de los goznes
se abrieron las hojas del portón, y montando los mejores caballos de las cuadras salieron don Julián y el
ingeniero americano. Aquél vestía un terno de gamuza
de venado, sombrero ancho de pelo crudo, espuelas in-
crustadas de plata; el huésped llevaba un grueso saqui-
trón de casimir, pantalones subidos a media corva y un
panameño, bajo cuyas alas estrechas escapaban mechon-
cillos de pelo alazán tostado. Poco se le daba al hombre de la risa que su indumentaria provocara en la
peonada; sus ojillos azules deslavados, tras de gafas
de gruesos cristales, cintilaban de regocijo; su cara de
camarón cocido se inundaba de alegría y de sol, y sus
pulmones se ensanchaban como para aspirar de un golpe el aire de la campiña fragante.

A un llamado de Julián dos peones se precipitaron a recibir sus órdenes. Las trasmitieron luego y la
peonada se dispersó por los llanos como parvada de
palomas.

Dos hombres se quedaron solos; se miraron un
instante sin disimularse su odio profundo. Pero ninguno se atrevió a un gesto más ni a decirse una palabra. Se alejaron entonces en opuestas direcciones.

Su mutuo aborrecimiento provenía de sus ambi-
ciones comunes. Andrés aspiraba a ser el mozo de estribo de don Julián, sin más merecimientos que su
edad; pero como su propia sombra, siempre y en todas partes, se le interponía el viejo Marcelino con el
ascendiente de su lealtad de perro y el de haber sido
el consentido del amo grande, don Esteban. Sólo que
uno veía decrecer su poder con los años que le doble-
gaban y el otro aumentar su predominancia con las

energías desbordantes del que ha comenzado a ser hombre.

Sentían, pues, que uno de los dos sobraba en el mundo y que los estorbos hay que quitárselos de enfrente cueste lo que cueste.

Trasponiendo la línea azul de una loma y en la lejanía se esfumaba apenas el ganado. Todo se había quedado ya solo y, en silencio; señor Pablo echó las trancas del corral de las vacas y tomó la vereda del arroyo caminando penosamente; cuando llegó al borde de un vallado reconoció su maguey, cortó del sembrado vecino un largo tallo de calabaza y, hundiéndolo en el manantial de aguamiel, chupó el líquido dulce e incoloro hasta agotarlo; después se echó en el llano a roncar a la sombra de un mezquite, en espera del mediodía para regresar a su casa.

VIII

—Eh, Tico... ¿qué buscas ai?... ¡Qué susto me has dado, animal! ¿qué queres pues? ¿No te han hechao la gorda en tu casa? Sí, se les ha de haber olvidado como siempre... a sus conveniencias... pa que otros te mantengan... Vamos, aistá eso, trágatelo...

Tico cogió al vuelo la tortilla y la devoró ruidosamente, sin quitar un instante sus ojos de Marcela. Se limpió las lágrimas que la humareda del fogón le hacían fluir y clavó otra vez en ella su risa de mascarón y su lasciva mirada.

Palmoteando una bola de masa, Marcela volvía hacia él su rostro de cuando en cuando; pero su pensamiento ausente mantenía absortos sus ojos. La horrible pesadilla, la visión alucinante de la daga desnuda la hacía tiritar. Quizá desde el momento en que ofreció su pecho desnudo al puñal homicida, sin temor alguno a la muerte, produjérase el gran derrame interno de todas las energías acumuladas y el agotamiento de su impasibilidad de hembra poderosa. Porque ahora Julián no sólo le inspiraba aversión profunda, sino un terror inaudito.

"¡Oh, si me encontrara un hombre que quisiera sacarme de este purgatorio, me iría con él, fuera quien fuese!"

—¿Qué esperas todavía, mierda? —exclamó incor-

porándose tras el metate, huyendo de sus negros pre-
sentimientos y reparando en los ojos del idiota, que
no sabía esconder el brillo de lujuria que le quemaba.

"¡Bah, si este bruto estará también dañado!"

Y sonrió, consciente de su poder para imponerse
con la fuerza del más rabioso deseo a cualquier macho
que se le pusiera enfrente.

—¿Qué te decían esos perdularios, Tico?

—Je, je, je... pos... pos que qué güenas piernas
tienes...

—¡Hombre!... y ¡tú que te mueres porque hagan
mofa de ti!... ¿verdad? ¡Animal! ¿No echas de ver que
eso es lo que hacen nomás? Mira, otra vez que te lo
digan, les respondes que más te cuadran las de sus mujeres y que te las empresten pa una madrugada...
¿Oíste?... Ora sí, ya puedes ir largándote a tu casa...

Acentuó la última frase con la repugnancia invencible que el epiléptico inspiraba a todas las mujeres.
Acabó de fregar el metate y en una batea juntó el agua
sucia, salió luego a tirarla a una pila de cantera a espaldas de la casa. En un corralito cercado de huizaches
y varaduces un cerdo gruñón y tardo se levantó al ruído
del nejayote borbotante, y metió el hocico en la pile-
ta, desparramando ansioso el agua turbia.

—Buenos días, Marcela.

—¡Epa, tú, Gertrudis! ¿qué milagro de Dios es éste, hombre? Digo si pa mí es la vesita.

—Sí, tenía ganas de saludar a las amistades y a
eso mero vine... Denque llegué de Morencia...

—Sí, tú, ya te acabarás con tu Morencia; apenas

te cabe en la boca... No me digas, no me digas, que tengo mucho sentimiento contigo porque no habías venido... Pero entra, hombre... Aunque sería güeno que jueras primero a darte una asomadita allá por el arroyo; nadita que a mi papá le cuadra que me vengan a vesitar. Ya habrás óido por ai el runrún de la gente; me han metido en una de chismes que sólo Dios... Y como el probe viejo es el que la lleva, yo, la mera verdá, no quero darle más en qué sentir. Pero, pasa, ¡qué caramba! al cabo ha de estar dormido orita. Nunca viene por acá en antes de medio día.

Entraron uno tras de otro.

—¿Todavía estás aquí, demonche?... Póngote la cruz... ¿Pos qué esperas que no la sigues?... Agarra ese banquito, Gertrudis y siéntate. ¡Mira no más que hombrazo te hiciste po'allá!

Con monosílabos y medias palabras el morenciano respondía a la locuaz amiga. Su intento de exhibición era por lo demás evidente. En vez de las burdas ropas de manta, negras de sudor y tierra, llevaba restirado pantalón de mezclilla con botones y remaches de latón, corbatín encendido, tirantes morados a cada lado de la lustrosa pechera planchada, zapatón americano, reluciente de pura grasa, con fieros clavetones; todas las modas y novedades traídas de Morency.

—Pos sí, yo bien he echao de ver que por eso no has venido a verme. Pero no creas, lo más que cuentan son puras mentiras y chismes. La que arma todo el brete es señá Melquias, que ya se le quema la cazuela por el tal don Julián pa su hija Anselma. ¡El canijo de don Julián! ¡Como si el desgraciado estuviera de antojo! Y luego ya tu sabes: al que mató un perro le llaman mataperros.

—Sin embargo no te quejarás muncho de tu querer —observó el morenciano con sorna, si bien su voz estaba apagada y enronquecida.

—¡Válgame Dios, Gertrudis, no hay quen me salga con otro cuento! Mira, por Dios y esta cruz te digo que too lo que hay de cierto en esto es que... pos sí, hombre... ha habido, ha habido ¿a qué negar la luz del día?... Ya tú sabes que quen manda, manda... Pero de eso a que yo haiga sido su querer, mienten y retemienten.

—Has de ser de munchas esigencias pa que el hombre no te cuadre con ese lomo que Dios le ha dao y con tu corazón que pa naiden falta...

—¡Mira, hombre, yo no quero que tú me hables ansina! Bien saben Dios y tú que pa ti siempre he sido otra cosa... ¡Mala gente! ¡A que no te acuerdas de allá cuando eramos unos chamagosos todavía!...

Marcela suspira, su voz decrece, decrece, se llena de ternura, y las lágrimas la turban, la hacen quebradiza, hasta extinguirse en un dulce rumor. Reminiscencias de sus primeros años; evocaciones de una mirada, un gesto, una palabra. La vida infantil rota de repente al despertar de sus almas en la desfloración de un beso en pleno corazón del bosque.

—¡Valdría más que nunca me acordara!

Y como arrepentido de haberlo dicho, al instante el morenciano desvía la conversación. La enfermedad de señor Pablo que ha acabado con sus ojos; el frío y las nevadas allá en el norte; el dinero que se gana la gente trabajadora en los Estados Unidos y los jornales miserables de México.

Marcela le escuchaba sin interrumpir su faena. Acabado el aseo de la cocina, suspendía ahora, de largas espinas de maguey clavadas en los adobes, ollas y cazuelas por la oreja, en torno de un cromo mugriento donde San Camilo y los diablos se disputaban el alma de un agonizante. De espaldas y en flexión se arredondeaban más aún las morbideces de su dorso, de sus hombros, de sus caderas y sus muslos; tras los pliegues verticales del chomite sus recias piernas se delineaban fuertemente y quedaban al desnudo sus tobillos bronceados bajo la franja verde del guardapolvo.

Magnetizado, Gertrudis avanzó paso a paso y la abrazó por la cintura. Sin protestar, Marcela volvió el rostro sonriente y empurpurado, radioso bajo el encanto de la caricia ardorosamente deseada y provocada. Sus labios se juntaron.

Un grito sobreagudo y el epiléptico se desplomó, los ojos en blanco tras las órbitas, contorsionado el rostro, espumeante la boca, todo su cuerpo sacudido por violentas convulsiones. Pasaron tres minutos y fué quedándose silencioso, paralizado, inerte.

—Epa, tú, Marcela, ¿pos ora qué hacemos?... Croque ya se murió...

—No, hombre, es el acidente; le da toos los días. Vamos a llevarlo al cuarto de mi papa, porque lo ques ora no despierta en toa la mañana. Ven, ayúdame pues...

El cuerpo, pesado como un buey, fue conducido a rastras de un cuartucho al otro.

Cuando se quedaron solos, Gertrudis, limpiándose la frente, dijo sombrío:

—Pos ora sí... adiós, Marcela, hasta otra vista...

—¿Cómo?... ¿te vas?...

—Adiós...

Pero si ni te lo puedo creer...

Ahogando su pesar hondísimo, que traslucía el acento quebrado de su voz y la tremulación de su mano, cogió la tosca y encallecida del morenciano.

—Adiós, pues...

"¡Eh, qué tendré yo?" se dijo Gertrudis en la soledad de la montaña, presa de inexplicable inquietud. "Pero ¿qué he hecho yo?" exclamó angustiado y sintiendo todavía la humedad de los labios de Marcela.

Y ella, absorta mucho tiempo, clavadas las pupilas en el cielo insondable, fijo su pensamiento en el vacío, sintió de repente mojados los ojos y las mejillas y susurró: "¡Eh, qué tengo yo?"

IX

Al medio día Marcela coge la hoz clavada en las junturas del muro, se echa una soga al hombro y parte. No hay un celaje que tamice los rayos cenitales; el cielo está limpio como un satín. En las ramazones se acurrucan silenciosos los pájaros; las gallinas, a la sombra de mezquites y huizaches, matizan el verde esmalte del prado con el vivo colorear de sus plumajes; jaspes de oro y negro, capuchas de perdiz, albos plumones esponjados; reflejos metálicos, crestas sangrientas y ojos inyectados. Unas esconden la cabeza bajo un remo; otras, como insoladas, abren el pico.

Marcela entra en el milpal, abriéndose paso a través de una apretada fila de lampotes y maíz de teja, cuyos aurinos florones cabecean al separarse bruscamente. Los tallos de las aceitillas y las blancas flores despetaladas caen al rudo golpe de la hoz. Zigzaguea la rosadera a lo largo del surquerío y las cañas se doblegan al paso de la robusta moza.

Al cabo de media hora regresa por el mismo surco, recogiendo los haces de yerba tronchada, enrollado el mandil a la cabeza y la gavilla de pastura a todo el caber de sus brazos enarcados. Tira al suelo el pesado montón y ya fuera de la milpa se detiene a tomar aliento, sudorosa.

Un alfombrado encendido se extiende a sus pies:

cinco llagas y lampotillos, yedras azules, maravillas mo-
radas y blancas estrellas. Como pétalos arrancados por
el viento revolotean vívidas mariposas. Una libélula
hiende el aire abrasador con su mirífico tisú bordado
de oro. El sol quema, los pájaros se pierden discretamente en las enramadas; la inmensa sabana está de-
sierta. Como una voz vagarosa y llena de misterio desciende el rumor de la montaña. De cara al poniente
yérguese la Mesa de San Pedro como un monstruo que
contemplara impasible las llanuras verdes, las lomas
azules, las pálidas serranías esfumadas apenas en el
azul zafirino que se pierde en el infinito azur. Hacia el
suroeste blanquea el risueño caserío de la peonada de
San Pedro de las Gallinas.

Entrecerrados los ojos por la deslumbrante claridad, Marcela percibe los adobes negruzcos del mesón,
los muros encalados de la vinata de Juan Bermúdez y
hasta el color de la falda de Mariana. Pero nada de
lo que inconsientemente buscan sus ojos: ni una blusa azul, ni un pantalón de mezclilla. Su pecho sigue
oprimido bajo una tristeza indefinible.

Afianza en sólido y estrecho nudo el pesado tercio
de yerbas y ya se apresta a levantarlo y a ponerlo sobre su espalda cuando un ruido de cañas bruscamente
derribadas la hace volver la cara.

—¡Oh, mocho bueno, don Jolián, mocho bueno,
pero osté no ser buen amigo, osté no enseñar mí, mejor ganado!

Al ingeniero americano se le tuerce el cuello de vol-
tear a ver a Marcela, hasta entrar por la gran puerta de la hacienda.

La muchacha, que sostuvo impávida las miradas de
tan inopinado adorador, se desternilla de risa. Sazona

su regocijo el picante de Julián, mudo testigo de la escena. ¡Ya lleva para un derrame de bilis! Y con eso basta para sentirse librada de sus penas. Ella otra vez, ella, la que jamás supo ceder a otros impulsos que a los de su deseo o de su ciego capricho. El malestar, la vaga tristeza, el desasosiego que le dejara la visita del morenciano se desvanece en su último éxito; y su buen humor renace sólo de pensar en el mal rato que le da a su amo.

A Julián la visita del americano le había caído como agua de mayo. Lo vió llegar con sus tripiés, teodolitos, estuches y demás avíos y salió a su encuentro hondamente regocijado. Imaginábase que con la atiborrada que iba a darse ahora de cálculos y proyectos acabaría de desechar seguramente la malhadada y ridícula pasioncilla que le tenía cogido. Huyendo de la soledad y del aislamiento se había entregado a las rudas faenas del campo, al igual que cualquier peón. Así distraía sus pensamientos durante el día, y por la noche su cuerpo se entregaba a un profundo sueño. Discutiéronse, pues, proyectos y más proyectos.

—Yo creo que aunque la cebada cuesta menos, el chilar rinde más, mister John.

—Con una sola cosecha de chile paga la presa, don Julián.

—Pero es mucho gasto. Además, ¿si se nos viene el barrenillo?

—¡Oh, no, gente que entienda, que cuidar la tierra limpia... y tamaño cosechón!

—¿Y si viene un granizal?...

—Don Jolián, entonces osté querer dinero como agua del cielo.

Después de una larga discusión se venía a parar

en las mismas indecisiones del principio; pero el ingeniero supo sacar avante la aprobación de sus trabajos, lo único que a él le interesaba. Justamente esa mañana salieron a tirar las líneas de los cimientos de la presa y Julián acabó de convencerse, con los hábiles razonamientos del americano, de que todas las ideas que señor Pablo le había metido en la cabeza eran descabelladas, sólo gruñidos inofensivos de perro viejo.

Al atardecer, cuando Marcela, cántaro al hombro, baja al agua, lo primero que encuentra es al atribulado mister John. Buena de corazón, caritativa por temperamento, inagotable en sus dádivas de amor, le lanza una mirada incendiaria, pliega los labios en su mohín peculiar y pasa de largo altiva y airosa, segura de que el ritmo de sus movimientos y la gallardía de sus líneas dirán más y mejor de lo que con palabras pudiera prometer.

Fascinado, el ingeniero va a seguirla cuando aparece el morenciano, cual brotado de la tierra. Marcela cruza sus ojos con él, y Mister John siente una ducha helada. Una mirada torva del mocetón lo hace calcular sin matemáticas la potencia de sus músculos y medir con sus propios pies, incontinenti, la distancia que lo separa de la casa grande.

De regreso del arroyo, Marcela enarca su recia cadera al peso del cántaro lleno sobre uno de sus hombros. Pero ahora no viene con miradas insinuantes, ni con provocadoras sonrisas; más parece que ha llorado. Sus ojos buscan algo a lo lejos y de pronto se detienen en un bulto azul que se perfila en el llano, allá por el caserío que se esfuma en las últimas luces del tramonto.

—¡Oh, la mochacha ser mocha hembra, don Jolián!

—¡Ps... no vale un comino!...Mire míster John, mientras nos hacen el chocolatito, venga para enseñarle algo que no conoce. Sígame.

Atraviesan un amplio patio de limoneros. El americano se detiene a respirar a plenos pulmones el perfume exquisito y raro en la rústica fragancia del valle aromoso sólo a cactus, mezquites y huizaches. El ambiente es sedante para sus nervios excitados.

—En su tierra no se usan de estos patios... yo también he ido allá. Llevamos una partida de caballos hasta San Antonio. ¡Diablo! viven ustedes en palomares: casas y casas hasta llegar al cielo. Ya no miraba la hora de largarme de allí; se me figuraba que de repente se me venían encima aquellas *masamostras.* Duramos no más de una semana y poco faltó para que me sacaran *extraviado* con tanta gente y apretura... ¿Eh, qué tal?... Mire, mister, esta es la vaquera para el trajín de lazar y colear...

Habían llegado a un pasillo y Julián levantó una gruesa manta de ixtle, dejando a descubierto dos hiladas de sillas de montar, a horcajadas sobre toscos burros de madera.

—Tiente no más... purito tanate de toro; da usted con todo y bestia en el suelo antes de que al tirón de la reata se zafe la cabeza de esta silla. ¿Y qué me dice de la charra? Tiente; vaquerillo de piel de tigre... ¡Vea qué cosa más primorosa!...

Se le desató la lengua. Y como dudara de que su huesped comprendiera tanta minucia de carreras, coleaderos, rodeos y otras charreadas, le hablaba a gritos, imaginándose seguramente que mientras más alto subiera la voz, mejor se haría entender.

—¡Oh, sí, mocho bueno, don Jolián, mocho bueno! —asintió el americano, mascando un pedazo de tabaco y estudiando un plan para apalabrarse con la hembra esa misma noche.

—Risa da ver cómo nos pintan ustedes. Pero sí le digo que para eso de ponerle una mangana a una yegua bruta o tirarla de las orejas, nosotros los dejamos a ustedes con la baba caída. ¿Qué tal lustre? Curtido de Oaxaca; no lo hay mejor en todo México. Chapetones de pura plata y este bordado de hilo de oro de lo mero fino. ¡Un platacal deveras, míster! Mire, esta reatita es chavinda ganadora corriosa como un taray y para un pial no conoce compañero.

—¡Oh, sí, mocho bueno, don Jolián...!

—Mire qué espada. Toledo legítimo. La cojo por el puño, pongo la punta en el suelo y hago un arco cabalito. ¿Qué tal hoja, eh?

—Amo, amo, acaba de parir la Gobernadora; ande su mercé, venga a ver nomás qué potrillo; está que ni pintao... Yo se los dije. Va a ver su mercé como es del Mono. Por ningún lao niega al tata...

—Míster John, vamos al corral, ande véngase.

—Mochas gracias, don Jolián, mi doler la cabeza y quiere dormir.

Sin escucharlo, Julián corre alborotado tras de Andrés a ver la nueva cría.

El ingeniero, con la idea ya clavada en la mollera de una aventura donjuanesca a media noche, respiró al fin con desahogo y se puso en fuga hacia su pieza, en el fondo de la casona. Al atravesar la sala donde vegetaba el valetudinario anciano, se regocijó de haber escapado a la segura exhibición de los avíos de labranza ahí aglomerados; rejas, coyundas, arados y timones en cada rincón; bateas, canastos, cuernos blancos de cal, debajo de las sillas y la cama.

Entró en su cuarto y al instante se metió en el lecho.

"¡Diablo de gringo tan flojo!" se dijo Julián media hora después, cuando viniera a llevarlo a cenar. "¡Ni siquiera he podido enseñarle mis armas de fuego!'

Un museo, comprendiendo desde la pistola de chispa del tiempo del cura Hidalgo hasta la pequeña y rebruñida escuadra del ejército federal de don Porfirio. Todas a la cabecera de la cama, ocupada ahora por el ingeniero, enguirnaldando y haciendo marco a una afligida Dolorosa con siete espadas colosales abiertas en abanico sobre el corazón.

Pero el americano roncaba profundamente y Julián tuvo que salir de puntillas para no turbar su sueño.

—Madre, dame de cenar; el gringo ya rindió. ¡Farolones estos! ¡Tamañas manotas y tamañas patotas! ¡Que hacen y que tornan! Ya se ve: una vueltita a caballo y se le acabó el aliento. Así lo viera yo pegado a la canasta. A ver si no escupía hasta los bofes.

En la cocina, arrimado a una rústica mesa trasumando ajos y cebollas, con el sombrero hasta las narices, comenzó a comer ruidosamente con avidez. Luego que calmó sus primeros ímpetus, habló con la boca llena:

—Ahora sí está todo arreglado; planos, presupuesto, tirada la línea de los cimientos y pagado el trabajo del ingeniero. Se los aviso.

—¿Y a nosotras qué nos va? —respondió una trapajosa muchachota, de voz hombrada y gesto altivo.

—Les va, hermana, que el día de la Asunción se bendecirá la primera piedra de la presa y tendremos fiestecita. Les va que tienen que prevenir la casa, porque quiero convidar al señor cura de San Francisquito, a Gabriel, a mi tío Anacleto, a tía Poncianita...

—¡Ah, qué tanteada! Esa sí que no. Convida al dianche en persona; pero por vida tuya que si traes a la tía le araño la cara. ¡No más eso nos faltaba!

Para reír a carcajadas, Julián se despachó el bocado, empinando de un sorbo una olla de agua azul, mientras que su hermana, de frente y clavada de codos sobre la mesa, le contestaba con energía.

—¡Válgame Dios, hija, no digas eso!

—Madre, no la quiero. No me gusta decir lo que no siento Ya me figuro que todo es llegar y comenzar a dar órdenes y a ponernos a todas a su mando. Para ella nunca están las cosas bien hechas; da consejos hasta de lo que no entiende; a todo le halla defectos y sólo lo que ella dice y hace está bien dicho y hecho. No, Julianito, no nos traigas a la tía, ¡No la quiero, no la quiero, y no la quiero!

Julián, riendo todavía, tendió su platillo, que doña Marcelina por segunda vez colmó de frijoles con chile verde deshebrado.

—No sabes lo que estás diciendo, Cuca. Tía Ponciana nos va a servir mucho a la mera hora de la hora. En la presa se nos va a ir un dineral y si la cosecha no se logra ella sabrá sacarnos de apuraciones tiene plata como maíz.

—He vivido en su casa y lo sé mejor que tú, hermano; pero sé decirte también que primero le sacas una onza al cromo de señor San José que tlaco a la tía Ponciana. ¡Dios te ampare si a ella te atienes!

—Bueno, convengo en que no resulte de tu agrado esa visita; pero algo hemos de hacer unos por los otros. Como luego dicen: hoy por ti, mañana por mí. Yo te traigo a mi Pablón...

—¡Peor!... ¿y ése?

—No me echen al agua que *mi hogo*. No le pondrás tamaña jeta a tu futuro, ¡Ja... ja... ja...!

Cuca se puso en pie haciendo un gesto de disgusto y salió en seguida de la cocina. Julián empinó otro jarro de agua y siguió hacia su alcoba.

Doña Marcelina, como todas las noches, luego que se quedó sola, encendió un cabo de vela de Nuestro Amo y comenzó a rezar y a persignar bendiciendo rincones, puertas y ventanas, hasta acabar por una abierta al occidente en dirección de la capital, de la penitenciaría, donde sus dos hijos mayores purgaban delitos de sangre.

Madre cristiana, poseía la firmísima esperanza de que, mediante sus preces y sus lágrimas, sus hijos volverían regenerados.

X

A la falda de la Mesa de San Pedro, entre añosos encinos y resquebrajados mezquites llorando espesa goma, nopaleras y pencas alzadas al cielo como manos chatas e implorantes, yérguese la faz risueña de la casa grande de San Pedro de las Gallinas, la que en fechas no remotas fuera la matriz de la gran hacienda de San Pedro, con sus blancos portales encalados, su mirador de ladrillos rojos y dos oscuras ventanucas en el fondo. En contraste con su rústica gracia y sencillez, en cada uno de sus ángulos álzanse pesados fortines poligonales de angostas rendijas bien mordidas por la metralla, desperfectos religiosamente conservados como blasón del más alto valor. Abajo del saliente mirador se abre la entrada principal defendida por enorme puerta de mezquite y mohosa herrajería, testimonio, fehaciente de la inquieta vida de los moradores que tales guaridas hubieran menester para dormir tranquilamente.

Se dice por toda la comarca que los Andrades no entraron en juicio sino hasta la hora y momento en que la manaza de don Porfirio apabulló los alientos de las hordas de bandidos que, con humos de fogueados militares, fueran por largos años la plaga más calamitosa del país. Desde las guerillas de Independencia hasta el triunfo de Tuxtepec los Andrades habían hecho un feudo de la provincia, y aun se escalofrían muchos viejos

al sólo nombre de un Andrade. Gracias también a la
revolución la prolífica especie quedó bien mermada.
Cuando el abuelo, el único superviviente a las contien-
das y refriegas, estiró la pata, piadosamente auxiliado
y con señales de muerte muy ejemplar, sólo quedaron
en el mundo tres herederos legítimos: doña Ponciana,
don Esteban el primogénito y don Anacleto el jocoyo-
te. Tres fracciones hiciéronse por consecuencia de la
propiedad. La Mesa de San Pedro para doña Ponciana.
"El ganado es ganado; por tanto el ganado para las
mujeres", decía axiomáticamente el viejo. A don Esteban le tocó San Pedro de las Gallinas, llamado así por
la abundancia de tales bípedos que bastaban para sur-
tir plazas hasta de remotos pueblos. Y a don Anacleto,
San Pedro Abajo. La sabiduría del testador realizó el
milagro de satisfacer a los tres hijos. Doña Ponciana
con los ricos pastales, magueyeras inagotables y criaderos de primer orden; don Esteabn con las tierras de
mejor calidad y más susceptibles de mejora, y don
Anacleto con el terreno más vasto, sobrado para llenar
sus necesidades de borrachín cuya vida discurría de
rancho en rancho, de bodorrio en bodorrio, siempre a
caza de amigos, fiestas y divertimientos, sin más gastos que los propios, muy exiguos, y los de su acompañante, un grandullón con aires de babieca, a quien llamaba mi Pablón, y por mi Pablón conocido de todo el
mundo. Producto adquirido detrás de la iglesia, mi
Pablón daba punto y raya a su padre y señor, lo que
no era poco para los dieciocho años escasos que contaba.

En tal medio cayó doña Marcelina, siendo su historia de las más triviales de la época. La muchacha del
pueblo que gustó al rapaz latrofaccioso y que es arre-

batada del hogar en cualquier noche orgiástica de aguardiente, de mujeres y de sangre. Si algo tenía que agradecer a don Esteban sólo era el que se hubiese prendado de sus cualidades hasta el punto de hacerla su legítima esposa.

El primer vástago trajo la resignación; con los siguientes la casa se pobló de gritos y de alegría; paréntesis muy breve de felicidad para la madre, porque los cachorrillos muy pronto sacaron las uñas y enseñaron los dientes. En hora aciaga renacían sus turbios atavismos. Lejos de encontrar los mozalbetes un mundo dispuesto a festejar su gracia y travesura, y autoridades sórdidas, cosa que por la buena o por la mala consiguieran sus progenitores, el intruso destacamento rural de San Francisquito, sin urbanidades ni miramientos, de buenas a primeras les echaba garra por un quítame esas pajas. El mayorcito, por ejemplo, entró a la penitenciaría asombrado: ¿quién de los Andrade no había asesinado a alguna de sus queridas, sin dejar de dormir una sola noche en su casa? Otro le siguió antes de seis meses, por más inocente fechoría. Un octogenario viene por el camino real; el Andrade, en dirección contraria, monta un corcel brioso y de falsa rienda; se encuentran de pronto en una curva pronunciada; el caballo es pajarero, da la estampida, y por poco tira al mozo. Estas cosas le dan coraje a cualquiera, ¡qué diablo! saca uno su pistola y zás!... El más mocito, un decadente digno de la pluma de Thomas de Quincey, le abrió el vientre a una mujer en cinta sólo por darse un espectáculo novedoso. Por el honor del nombre, algo había hecho Julián: dos homicidios calificados de los que supo salir avante y cuando no cumplía veinte años. Miembro inofensivo, por último, era Ga-

briel, un matón en ciernes que, gracias a nuestro señor
el alcohol, habíase estancado desde sus más tiernos
años en perdulario marrullero y gruñidor, perro viejo
y desdentado. Su amor a los espirituosos era tan grande, que ni su propio padre don Esteban se avino a so-
portarlo en el seno del hogar. Vivía el pobre diablo cosido a las faldas de una horripilante pulquera de San
Francisquito que le daba todo: amor, comida y vino.

En medio de tal negrura discurrían dos vidas dulcemente dolorosas y tristes, la de doña Marcelina, madre abnegada hasta el heroísmo y la de Refugio su
hija, que poseyendo los rasgos varoniles y fieros de la
casta, su gesto altivo y recio continente, llevaba el alma profundamente sencilla y recta de la madre.

Como es de regla en gentes de esta ralea, las mujeres no tenían voz ni voto en su propia casa; su mi-
sión era la de contemplar atónitas la grandeza de sus
terribles señores, estar prontas a adivinarles sus menores pensamientos y a servirles de rodillas si ellos así
lo pedían.

Al berrear de los becerros, cuando se daba comien-
zo a la ordeña, despertó Julián. Vistióse y, ya al salir,
reparó en que no llevaba nada en la cintura. La víspera en la noche, como de costumbre, había suspendido su pistola a la cabecera de su cama, ocupada ahora
por el ingeniero. A tientas y de puntillas entró en la
alcoba, tropezando aquí con una silla, más allá con la
misma cama. Apenado por su involuntaria falta de
atención, encendió un cerillo; pero al tomar su revól-
ver reparó en que la cama estaba vacía. Al instante y
por extraña asociación le vinieron dos nombres a la
mente: míster John y Marcela. La idea era absurda,
pero de una violencia abrumadora. Fué a la puerteci-

lla que daba al campo y la encontró abierta. Entonces seguro, regresó al cuarto y sacó un puñal que estaba debajo del colchón, se lo puso en la cintura y salió.

Agazapándose entre la yerba, muy lentamente, para no despertar a los perros, se encaminó hacia las espaldas de la casa de Marcela; saltó el cerco de huizaches y se detuvo breves instantes. Su corazón latía con regularidad pasmosa, su pulso era firme y sosegado; sus músculos no tremulaban y se sentía dueño y señor de todas sus facultades. Dió un salto y se precipitó en la obscuridad de la casuca.

XI

Sustentadas sus recias posaderas por monumental burra canela, contra viento y marea llegó la tía Poncianita a San Pedro de las Gallinas una bella mañana. Nada había valido, pues, el ponderarle en larga carta los males que aquejaban a Julianito, la erisipela ampollada que lo tenía en el lecho. Se le había advertido con toda oportunidad la decisión de diferir la fiesta inagural de la presa. "Con todo y eso iré; pues ya hice la intención; el señor Cura está convidado ya para el quince de agosto y, llueva o truene, el quince de agosto pondremos la primera piedra dedicada a María Santísima de San Juan. No han de llegar a tanto los males de mi sobrino que por eso deje de hacerse un bochinchito. Tengo antojo de cócono con pulque de las magueyeras de San Pedro y de que Juliancito me baile el jarabe y me cante la valona como él lo sabe hacer".

—¡Ay, chulas de mi vida —exclamó apeándose penosamente y sacudiendo los insubordinados pliegues de sus enaguas de manta estampada— qué camino tan pesado! ¡O será que se va uno haciendo viejo!... Marcelinita ¿qué haces?, ¿estás buena?... ¡Cuca, ven acá, qué hermosota estás, muchacha!... El vivo retrato de tu padre. Hagan de cuenta que vieron a Estebanito cuando todavía no le pintaba el bozo.

Sudando y pujando llegó apenas a uno de los po-yos del zaguán, donde se dejó caer.

—Déjenme descansar tantito. ¡Ay, hija de mi al-ma, si la cara la heredaste de tu padre, no sus modos! ¿Dime, qué escurrimiento es ese? ¡Qué desabrida y qué pan con atole estás, chula! Ven, abrázame, apriétame, que somos de la misma sangre. Todos los Andrades he-mos sido reaspamenteros, pero tú, ni de la familia pa-reces, encanto. ¿De dónde te vendrá lo encogido y esa sangre de horchata?

Doña Marcelina contestaba con sonrisas de resig-nación y obligados monosílabos, mientras que Cuca se acordaba de su promesa a Julián: "si me trae a la tía Ponciana le araño la cara".

—Agradézcanme que con todos mis años venga a salvarlas del compromiso que se han echado encima; mañana llega el señor Cura, y eso de atender a los se-ñores eclesiásticos tiene su más y su menos. Ustedes, tan alzadas por acá, se asustarán ya no más de ver gente. ¡Dios de mi vida, escogí la burra canela por mansita y para no cansarme tanto, y estoy rendida! Las primeras leguas, sí, caminé tan a gusto que pude rezar mi rosario de quince cabalito; pero de la bajada de los Caballos para acá ¡qué trabajos, Señor!... Es una vergüenza que Julianito tenga ese camino.

Eso decía, caminando ya adelante de las dos mu-jeres, en dirección de la salona donde vegetaba don Es-teban. Perfectamente inmóvil en un gran equipal de cuero, el viejo no daba más señales de vida que en la llama ardiente de su mirada.

Echóse sobre él doña Ponciana llorando a lágrima viva. Lo abrazó, lo besuqueó y lo estrechó con emoción cada vez más grande. Y para mejor afirmarle su cariño le espetó una jaculatoria. "¡Dios Nuestro Señor quiera y la Madre Santísima del Refugio me lo ha de conceder, hermanito, que tengas una muerte tan ejemplar y tan santa como la de nuestro padre: bien merecido te tienes el no pasar ni por las llamas del purgatorio!"

Su voz velada se entrecortaba por el llanto:

—Lo único que te encargo, hermanito de mi alma, es que ante la presencia de su Divina Majestad le pidas por nosotros los pecadores que nos quedamos sólo ofendiéndole con nuestros pecados en este destierro, en este valle de lágrimas...

Solía don Esteban tener ganas de entender y en esa vez muy a las claras lo manifestó, dejando escapar de su coriácea laringe un formidable gruñido.

—Pues ya te saludé, Estebanito —agregó imperturbable la tía, sacando grueso reloj chapeado de entre las pretinas— ya volveré a platicar contigo más despacito, que tiempo no ha de faltar. Va a ser la una ya, y es mi hora de la guardia de honor del Sagrado Corazón de Jesús.

—¿No quieres antes saludarle a Julianito? —habló doña Marcelina—. Tiene muchas ganas de verte, pero no sale de su pieza todavía.

—¡Anda, tú de mi corazón, cómo no! ¡Pues no se me había olvidado ya este figuroso! Les digo que llega uno aturdido con tanto sol. Sí, anda, vamos luego a ver al consentido... Juliancito, alma mía, me había olvidado de ti. Pero ¿qué es eso, chulo? ¡Dios me proteja! ¡Hijo de mi corazón, eso no es erisipela! ¡Las cinco llagas de Cristo! ¡Muchacho de mis pecados, dejarías de ser Andrade! ¡Mira nomás qué moretes! Si te hubieran puesto vino aromático era la hora en que estarías bueno y sano. ¿Por qué no preguntan a quien más sabe, Marcelinita? No te apures, mi alma, yo te curo ahora y para pasado mañana no te dará vergüenza que te vea la gente. ¡No faltaba más! ¡Ay, Julianito, yo no sé qué les ha sucedido a ustedes que se han hecho tan dejados! Pregunten quiénes fueron sus tatas. Pero tal ha de ser la voluntad de Dios y hasta puede que sea para bien. A fin de cuentas, es mejor que ya se les vaya quitando lo mitotero. Anda, pero si ahora que me estoy fijando, esta es la sala de mis padres. Ay, Marcelinita, han hecho ya recámara de lo mejor que esta casa tiene, su sala. Miren, pónganme cuidado, el padre Comendador de la Merced, que era un sabio —fué de peregrino a los santos lugares— decía que sólo por las pinturas esta sala vale un dineral. ¡Dios tenga en su santo Reino a mis padrecitos! ¡Cuánto recuerdo para llorar! Cuca, ábreme bien esa puerta; quiero verlo todo para hacer memorias.

Las lágrimas irrumpían en crisis y las carcajadas con igual facilidad. Refirió historias de sus progenitores y dió detalles interminables de sus costumbres. "Aquí se sentaba a hacer costura mi nana Chonita, en aquel rincón rezaba el Sábado Mariano mi tata Monchito." Y a medida que evocaba un difunto, hacía un panegírico, resultando que de los Andrades no había uno que no llevara camino de beatificación. "Porque dirán lo que quieran de ellos, mialmas, pero los de nuestra sangre nunca pelearon en contra de la religión. ¡A gloria de Dios que si dieron guerra, sólo fué para matar chinacos!"

—Oiga, tía Poncianita —observó Refugio, despegando por primera vez sus labios— ¿y es cierto que Pablo, el de mi tío Anacleto, es hijo de una monjita que se robaron de un convento?

—¡Han visto deslenguada! ¿qué sabes tú de esas cosas, niña? ¡A los padres oírles su misa y dejarlos! ¡Qué hablas tú de la religión!... Mira, niña, esas cosas no están bien a tu edad... ni a ninguna. Si tu madre no ha sabido darte educación, no creas que yo por eso vaya a soportarte. Entiende que yo estoy aquí y no soy tu espantajo. ¡Mira la que no quiebra un plato!

Un gesto de doña Marcelina contuvo a su hija, pronta a responder y con una sonrisa de tremenda ironía en los labios.

Doña Ponciana se hizo la desentendida y prosiguió impertérrita:

—Esta sala la hicieron mis abuelos. Por su recuerdo siquiera debían ustedes haberla conservado como ellos la dejaron. ¿Ven esa jaculatoria desteñida ahí en la pared de enfrente? Me la sé de memoria, como todas las que están escritas aquí. Mi padre nos la leía desde que tuvimos uso de razón y antes de aprender a leer ya nos las sabíamos de cuerito a cuerito. Porque los Andrades siempre hemos sido muy religiosos. Van a oírlas de un tirón.

Enderezó su busto de salchicha, meneó tres repliegues de su cuello, entrecerró los ojos y carraspeando comenzó su recitación con voz ladina. El vendedor de novenas, triduos, apariciones y sucesos milagrosos de la Villa de San Francisquito había hecho escuela. Al final de la primera estrofa, un torrente de lágrimas le cortó la palabra y así se quedaron pendientes para mejor ocasión las alabanzas escritas en letras de mol-

de en las paredes, dentro de cuadrilongos enguirnal-
dados de almagre desteñido, alternando con pinturas
murales del más demoníaco realismo; angelitos abotagados y piernudotes que ofrendaban devotamente al
ojo de cartón de la Divina Providencia en lo alto de la
cabecera, un ojo torvo dentro del triángulo simbólico
que de secante impío hiciera por cada uno de sus cos-
tados; fetos alados ofrecían chiquigüites (industria ge-
nuina de San Francisquito) colmados de flores y fru-
tos. Unos alzaban sus incensarios, mofándose de las
leyes más elementales de la física; otros sonaban los
timbales y platillos. Con tal decoración armonizaba el
cielo raso, un cielo legítimo donde anidaban alicantes
y ratonviejos en los cuernos de una luna de manta de
no malos bigotes, en el revés de un sol de tez bermeja
como de fraile bien servido y en las tiras de lienzo que
servían de sostén a las estrellas.

Doña Marcelina, con el pensamiento siempre en
sus hijos, interrumpió las reminiscencias de doña Ponciana:

—¿No has visto a Gabriel?

—Pues, tú, mucho hace que no lo veo. Te diré, él
me procura muy poco. ¡Como les tengo tanto horror a
los borrachos!... Hace cuatro meses me fué con la
embajada de un préstamo. "Cuatro reales nomás, tía
Poncianita." Le troné los dedos, mi alma. Ya tú me
conoces; con ese vicio yo no puedo ver a nadie, ni a los
de la misma familia. Desde entonces... ni más...
¡Bendito sea Dios!... Yo no sé de dónde le vendrá lo
borracho a este muchacho; de nuestra familia no. Los
Andrades toman, sí, toman su copita como toda gente
decente, sin descompasarse ni mucho menos. ¿Y de
los muchachos presos qué has sabido, Marcelinita?

—Escribió Lenchito; dice que él está bien, pero que a Ramoncito, ya lo sacan al sol en silla de manos; las humedades de la celda le han empeorado su reumatismo...

Los sollozos le cortan la palabra.

—¡A Monchito no lo volveré a ver!

—¡Sí, vida mía, empéñense y sáquenlos de la cárcel, cueste lo que cueste!

—Es un dineral lo que piden. Sólo para el gobierno son diez mil pesos y no sé qué tantos más para los licenciados.

—Pues hagan un sacrificio y paguen lo que les pidan.

—Es lo mismo que yo pienso; pero a Julián se le ha metido ese brete de la presa y no quiere soltar ni tlaco.

—La verdad, tía Poncianita —irrumpió Cuca— nosotras no tenemos más esperanzas que usted.

—¡Hija de mi alma!...

Ante tan imprevisto ataque doña Poncianita abrió los ojos desmesuradamente, sin hallar al punto armas para repeler la agresión.

—¡Qué bueno fuera!... ¡Qué más quisiera yo!... Pero si vieran, deveras, qué escasa de centavos estoy ahora. Con estos años tan malos, las cosechas perdidas, el maíz tan caro... ¡Oh, les aseguro que ya no hallo la puerta!... ¡Callen, callen, ni me vuelvan a hablar de dinero!...

Cuca apenas contenía la risa. Doña Marcelina estaba pasmada de la audacia de su hija.

—Pero si usted no tiene gastos ningunos; para usted tiíta, querer es poder.

—Eso se te figura, chamagosa. Calla te digo, ¿qué entiendes tú de dinero?

—Bueno, tía Poncianita, usted nos quiere mucho a todos sus sobrinos y ahora no va a encontrar pretexto que poner. Nos presta nomás veinte yuntas de bueyes, Julián nos da lo que falte y los muchachos saldrán pronto en libertad. Para usted veinte yuntas es nada... como quien le quita un pelo a un buey...

—¡Hija, vamos!...

—¡Ay, Marcelinita, que niña tienes! Mira la mosquita muerta, tiene más alilayas que un licenciado...

Más se empeñaba doña Ponciana en desviar la conversación, mayor esfuerzo ponía en sostenerla Refugio. Por fin la tía, rabiosa, acosada por todos lados, se puso en fuga so pretexto de sus devociones.

Cuca lanzó una sonora carcajada y dijo:

—¡Ah, qué mi tía Poncianita! ¿está creyendo, pues, que lo que digo es en serio? Si sólo ha sido para que mi madre y Julián se convenzan de lo que les aseguré una noche: "primero le sacan una onza de oro a la estampa del Cura Hidalgo que a mi tía Ponciana cuartilla." ¡Ja, ja, ja!...

Doña Ponciana se puso lívida.

—Ave María en esta casa; buenos días les dé Dios...

—¡Anacleto! —exclamó doña Ponciana reconociendo en seguida la voz aguardentosa de su hermano.

—Abranse las puertas que aquí viene la alegría...

Don Anacleto y su hijo desensillaron y, rodeados de las señoras, se quitaron las espuelas. Aquél llevaba sus ropas habituales; ancho calzón de manta, chaparreras de vaqueta, blusa de rayadillo azul y ancho sombrero de petate; el mozalbete, sombrero de pelo canario, bufanda de estambre de siete colores y pantalonera de venado oliendo a corambre todavía.

—Este muchacho anda miando ya detrás de los romerillos —observó doña Ponciana al estrechar en efusivo abrazo a su sobrino.

—¡Ay, qué chula estás, niña Refugita, qué cachetes; ganas me dan de morderlos! —dijo tío Anacleto, mirándola de hito en hito.

Luego, volviéndose de soslayo al grandullón, añadió muy bajo:

—Andele, mi Pablón, no se las coma...

De un tremebundo abrazo el viejo borrachín estuvo a punto de derribar a la crónica doncella, su hermana.

Entraron. El viejo, charlando confianzudamente; el mozo cortado por su falta absoluta de maneras.

—Díganme ¿qué es lo que le ha pasado a mi sobrino? ¿Dizque un gringo lo puso moro a trompadas? La verdad, yo no lo he pasado a creer, porque Julianito es de la familia y a nosotros nadie nos ha tentado la cara.

—Puras mentiras, Anacleto —se apresuró doña Ponciana;— invenciones de las malas lenguas; una mojada en el sol, una erisipela mal cuidada y eso es todo...

—Pues ello será o no será; pero yo necesito hablar

con mi sobrino. Los Andrades semos de los hombres
y por la vida de la madre que me pa...riente, que si
ha habido algún jijún...chi... que le haiga puesto
la mano a Julianito ya puede irse componiendo. ¡No
faltaba más! ¿Qué dice, mi Pablón, cómo se tantea?

—Pos ai asté es el quiá di dicir... Hasta hágale
jalón... —respondió el mancebo a la sordina.

—Así mero me cuadra, mi Pablón. Miren, niñas,
mi Pablón es de los hombres y no se apellida Andrade
nomás dioquis. Epa, tú, Refugia, ¿no tienes por allí
un traguito de mezcal? Si vieran que ya me ponen
malo las andaditas a caballo; pero, no me lo han
creer, con una nadita así de aguardiente se me quita
siempre esta polisma: dicen que es irritación, que son
puras bilis... Bien a bien no sé qué será esto.

—Sí, tío; no un traguito, le voy a traer una botella
de cuartillo y medio; pero entren acá al comedor.

Refugio, como al descuido, miró sonriendo a doña
Ponciana...

La vieja tía se hizo la sorda. Comiéndose el coraje
con sus rezos, prométiose no poner nunca más los pies
en la casa de aquella gente malagradecida que no com-
prendía que sólo ella los sacaba de su compromiso
con el señor Cura.

XII

—Mira Anselma, mira cómo Gertrudis no quita los ojos de Marcela.

—Pero tú, si no lo paso a creer.

—¡Bah, te digo que lo tiene dañao!

—Pos muy aturdido será si se enamora de esa... Pero, por más que tú me digas, no, no lo paso a creer.

—¡Hum, es que has visto muy poco mundo! Mira, Anselma, de que los hombres dan en eso, son más duros que una calavera de burro.

—Si lo que se te afigura, Mariana, juera cierto, dende cuando estarían enredados.

—No queda por ella, júralo, mujer; él es el que no se anima.

Las dos muchachas callan. Tía Melquiades. la madre de Anselma, se acerca a ellas. Es una vieja corcovada y tosigosa.

—¿Qué haces, Mariana? Buenas tardes te dé Dios.

—¿Cómo le va, tía Melquias?

—Oigan ¿qué han óido decir por ai? ¿Quizque los amos no están aquí?

—Eso dicen, que salieron muy de mañana a un día de campo. Pero, mire, allí viene sábelo todo. Epa, tú, Andrés...

—Payaso de los títeres... ¿No oyes?...

—¿Qué le duele, tía enjurtido?

—¡Tu ma...drina!...

—Cállese, no se diga ansina, que pa los fríos que vienen me va a hacer falta Anselma... y usté tiene que ser mi...madrina.

—¡Pior, tú, por chulo!... No los busco de tu pelaje —tercia encolerizada la muchacha.

—¡Vaya!... no te enojes, mi alma, que ansí mero, como tú, me la dió el padre de penitencia.

—No te aflijas, alma en pena: no ha de ser pa pior puerco la mejor mazorca, —salta tía Melquiades.

Carcajadas como matracas de Semana Santa acogen los dicharachos cambiados entre la tía y el peón que sale de la troje hecho un fantasma, blancos de tamo los enmarañados cabellos, blancas las cejas, blancas las cobrizas espaldas empapadas de sudor. Acosado por las hembras que se hacen una en el ataque, abandona el campo. Coje a dos manos el cántaro que está a un lado de la puerta, empina, y un grueso chorro de agua zafirina gorgotea en su garganta, sin que de sus gruesos labios escape una sola gota. Limpia su frente sudorosa con ancho paliacate de flores rojas que se anuda a su cuello, con él se cubre la boca y la nariz después, y se cuela en el granero.

La charla de las comadres, que esperan sus raciones, prosigue. En un crecendo de aguacero torrencial se oye el resbalar del maíz sobre las hojas de lata perforadas de los harneros, fuertemente sacudido por la manaza del peón. Una nube cerrada de polvo se levanta, y los trabajadores, que van y vienen con bateas a la cabeza, del fondo de la troje a los cónicos

receptáculos de los harneros, se esfuman en el tamo.
Apartando moloncos y hojas secas, silba la escobilla
que acaba la limpia.

El olor seco del tamo se difunde, apagando la frescura y la fragancia que llega de las praderas.

—Pos si los amos no están en casa, cuente con
que tío Pablo va a ser el que nos reparta las raciones.
Mire, comadre Petra —dice tía Melquiades al oído de
su vecina,— mientras yo me arrimo a tío Pablo y le
buigo el agua, usté se va a la pila del frijol... ¿eh?...

—¿Y si no nos llaman juntas?

—No li hace, nos hacemos zorongas y de toos modos nos metemos a un tiempo. Al cabo tío Pablo no mira. Yo le doy plática y usté...

—Ya las estoy oyendo, señá Melquiades; ande,
que lo sabrán mis niños —interrumpe una vieja asmática, que abre los ojos, la boca y las narices, a cada
inspiración.

—¿Y a usté quién le dió vela en el entierro, señá
Antonia?

—Naiden me la da; yo me la tomo.

—Oiga, pos entonces dígales a sus niños también
que usté y yo nos levantamos del potrero todas las
noches la leña que gastamos...

—Miente, que a mí me dejan sacar lo que yo
quiero, a mí me la dan...

—¿A usté se la dan? Pos yo me la tomo, porque
como dice el dicho: el que a la iglesia le sirve, de la
iglesia se mantiene. Y a más que ni le está eso de
andar ora con sus temideces; acuérdese de las canas-
tas de tunas que, año por año, nos robamos del monte
pa ir a venderlas a San Francisquito. ¡No me pele

tantos ojos!... ¿Ya se le había olvidado? Coma hojas de lantén que son regüenas pa la memoria.

—Cállense, déjense de pleitos, que ahí viene Marcela y ése si sabe de los amos.

—Epa, tú, Marcela, ven acá.

Al oír ese nombre la vieja asmática frunce el ceño, Anselma alza los hombros despectiva y Mariana se levanta y se aleja del grupo.

—Oye, tú, ¿quizque no están aquí los amos? ¿Pos quén va pues a repartirnos las raciones?

—Ha de ser la niña Cuca, tía Melquiades, ella jué la única que no salió en desta mañana.

—¿Pos a donde jueron, tú?

—Croque hora jué la bendición de la primera piedra de la presa.

—¿Primera piedra? ¡Qué trazas! Más piedras nos queres volver con tus cuentos.

—Cierto, señá Melquias; vino padrecito del lugar, aquí están los amos grandes y otras munchas vesitas.

—Anda, pos pué que digas verdá. Y ahora que estoy haciendo acuerdo, muy cierto lo que tú dices; antier que vine a mercarle un queso a la niña Cuca, se apió en la puerta de la casa grande una curra petacona. Por más señas que llegó montada en una burra canela, así de grande... ¿quén será ella, tú?

—Es hermana del amo don Esteban. ¿Pos quién había de ser?

—Mira que reguajolota soy. Muy verdá lo que tú me dices; pos ora que me acuerdo son sus mismas faiciones... ¡Hum, pos ni les cuento!... Han echao una peliada la niña Cuca y esa siñora, que solo santas les faltó que icirse.

—¡Ande, estese!… cuente, cuente, señá Melquias.

Se formó un corro de curiosas y Marcela se alejó discretamente.

—¿Oiga, doña Marcela, que el amo don Julián jué también a la fiesta?

Marcela repara con extrañeza en Anselma que la ha seguido, y tuerce la boca sin responderle.

—Oiga, le pregunto, ¿también Julianito anda allá?

—Pos si te interesa tanto saberlo pregúntaselo a la noche.

—¡Pior!… esa será asté… ¡vaya!

—Y tú ¿por qué no? Si lo mientas con tanta confianza, has de tener por qué… al menos, ganas no te faltan ¿verdá?

Como ya las dos han alzado mucho la voz, las carracas se percatan y se acercan. Pero Anselma cede al instante. La pobre moza que dió ya su resbalón, sin que de nadie sea misterio, vive en la creencia de que su secreto sólo es de ella, de Dios y de… él; y huye por miedo a que las malas lenguas la metan en cuentos con una de tantas.

—Todo lo que está contando son puros chismes y mentiras —gruñe la vieja asmática, en una interrupción del relato interminable de tía Melquiades;— lo que es de mis niños naiden diga nada, porque aquí estoy pa defenderlos de toda perra, mordulla y argüendera.

—¿Argüendera yo, señá Antonia?

—Que la lengua se me pudra si hay algo de verdá en too lo que está diciendo. Sepa que mi niña Cuca no es capaz de eso. ¿A quén le falta la tortilla, a quén los alimentos cuando las enfermedades nos ponen en la miseria, malagradecidas? Aistá señá Agapita que no me dejará mentir, aistá mi compadre Bonifacio y tantos y tantos... Y yo también: ¿qué juera de mí sin la carnita que nunca me faltó, sin los pollitos en mi mera gravedá y mi vino blanco pa la convalecencia? Después de Dios a ellos les debo la vida y mi salú.

La voz gruñona se corta por un brusco acceso de tos; la cara de la vieja tórnase negruzca, sus ojos se salen de las órbitas. Cualquiera habría creído que iba a estirarse la última defensora de los Andrades, la vieja nodriza de la manada de chacales. Pero el acceso pasa pronto; señá Antonia, repuesta y con mayores bríos, acomete de nuevo.

—No, ya no me diga la última palabra —grita señá Melquiades— ya cállese; ya adivino lo que nos va a dicir, que si no juera por sus niños no estaría tan aliviada. Mire, lo qui ha de hacer es dejarnos en su testamento la receta que tan güena y sana la ha dejao... Quen quite y algún día se nos ofrezca... Le rezaremos un padresnuestro y un avemaría.

—No, la verdá ha de icirse, lo que es en eso yo convengo con señá Antonia; los siñores serán muy matones y malentrañas; pero las niñas...

—¿Matones y malentrañas mis niños, señá Agapita? Guzga, malagradecida, ¿dime por quén vives y por quénes no te faltan nunca las tortillas ni los frijoles? Miren, pa que no me colmen la medida, les voy a dicir quénes tienen la culpa deveras y por quénes mis probes niños sufren destierros, cárceles y privaciones... ¡Por esas, sí, por esas!

Y sus garras de gavilán se tienden señalando a Marcela y a la hija de señá Melquiades.

El siseo de la multitud y el crujir de los goznes de la puerta interrumpieron la disputa. Todo el mundo se había puesto de pie al parecer la niña Cuca.

Saludando con llaneza, Refugio atravesó entre los grupos de peones y mujeres y entró en la troje.

Cesó al instante el ruido estridente de los harneros y poco a poco fué asentándose la densa nube de tamo, a la vez que la turbulenta comadrería hizo silencio.

Refugio sacó una hoja de papel de su gran delantal de percal y comenzó a pasar lista:

—Esteban Gordillo... cuatro días y medio.

La mujer del interpelado, con un chico a cuestas, entró saludando melosamente, luego se informó de la salud del amo don Esteban y de cada uno de la familia, extendiendo al pie del montonazo de maíz su tilma.

—Dos almuditos y un cuarterón —repercutió estentórea la voz del medidor por los ámbitos sombríos de la troje.

—Cleto Ramírez, cuatro días.

A cada hombre, Refugio marcaba en la lista una cruz con un lápiz rojo El ruido y el desorden subieron de pronto; atropellándose las comadres se aglomeraron a las puertas de la troje. Mariana y Anselma juntas, lamentándose ésta de las palabras injuriosas de señá Antonia. ¡Qué iban a pensar de ella ahora! ¡Señalarla al igual de Marcela!...

—No les hagas caso. Todas sabemos bien que tú no eres una de ésas. Mira, mira cómo Gertrudis y Marcela no se quitan los ojos. Te digo...

La voz se le cortó por la emoción. Sus ojos se arrasaron.

—Se lo merece por muy bestia.

—Es que yo le tengo voluntá... si vieras...

—¡Sí, tú, voluntá!... ¡Estate, dolor de estómago, ya te voy a dar tu té!...

La risa maliciosa de Anselma y sus dos ojillos avispados se clavaron en los ojos negros y ardientes de Mariana.

—¡Válgame, mujer...!

—¡Hum! ¿pos qué piensas que no te lo he echao de ver?...

—Palabra que no es más que interés de amigos, Anselma.

—Pablo Fuentes, su ración —gritó Refugio con voz firme y bien timbrada.

Entonces se produjo un movimiento de intensa curiosidad.

La querida de don Julián frente a frente de la niña Cuca.

Esta hizo un mohín a la proximidad de Marcela; pero rehízose en seguida, apartando su mirada de ella y volviéndose a su lista. Marcela había entrado cortada y sin alzar los ojos, derecho al medidor que la acogía con malévola sonrisa.

Y eso fué todo, para desazón de las comadres que se esperaban escena de mayor interés. Apenas señá Antonia gruñó con voz de canónigo decrépito:

—¡Vergüenza había de tener pa no ponérsele ni por enfrente a mi niña!

Y mientras gangoreaba sus injurias, reventando

de cólera, las otras viejas se apretaban el estómago de risa.

Con sacos a la espalda, canastos sobre la cabeza, muchas con la carga de semilla y un canijo suspendido a los hombros, se dispersaban ya por las veredas. Las muchachas ayudaban a las viejas, conduciendo el resto de la cría.

—Mira, Tico —exclamó un holgazán viendo salir a Marcela— ahí viene ya tu novia. ¿A que no le das un pellizco en los cachetes?

—¡A que sí!...

—Pos ándale, ponte avispa, que ya está aquí.

Marcela pasó cruzando una fugaz mirada con el morenciano.

Tico, en vez de seguir el consejo, plegó el rostro haciendo pucheros. Sólo unos instantes: mientras la garra de hierro de Gertrudis lo mantuvo inmóvil.

Y nadie se atrevió a sonreir, porque todos se dieron cuenta de que aquello podía pasarse de broma.

Entonces Gertrudis, sin volver ni una vez el rostro, se alejó.

XIII

—¡Ay!... ¡ay!... ¡mi riuma!... —exclamó Mariana de repente encogiendo una rodilla y apretándola a dos manos, mientras que una mueca de dolor turbaba su cara trigueña y sus ojos de extraordinaria viveza. Adelántense, tía Melquias, porque yo no puedo seguirlas a ese paso. Anselma, quédate conmigo a descansar un ratito, mientras que me pasa esto.

Las rucias vejarrucas, sin parar mientes en los aspavientos de Mariana, siguieron de largo, en tanto que las dos mozas se apartaban hacia la fresca sombra de un mezquite. A su proximidad alzó el vuelo con algarabía una parvada de bucheamarillos.

—Mentiras, Anselma, no tengo nada.

Con presteza alargó y encogió la pierna, riendo a media voz.

—¿Sabes? vamos a esperar a este bruto de Gertrudis... ¡Por vida de mi madre que yo no le dejo enredar con esa... desgraciada!

—¿Qué piensas hacer, Mariana? —inquiere Anselma, abriendo con asombro sus ojillos pizpiretas.

—Lo vas a ver. Yo no sé lo que éste vaya a pensar de mí; pero si con el consejo que le voy a dar no queda bueno antes de dos semanas... pierdo. Es mi secreto, no me preguntes, te lo diré después. ¿Qué

quieres? le tengo voluntá. ¡Es tan bueno! Hay que
sacarlo de ese lodazal...

Echadas boca abajo sobre el mullido césped aspi-
ran el aroma y la frescura del campo.

—¿De modo que tú crees que sea capaz de casar-
se con ella?

—¡Es un pazguato!

—¿Y tú quisieras mejor...?

—Yo nada, mujer, ya me canso de decírtelo, le
tengo voluntá y ya.

Anselma no replica, pero levanta la cabeza y su
mirada picaresca se llena de expresión; la risa zumba
en sus dientecillos de roedor travieso.

—Eres testaruda, Anselma...

—Tú, que me quieres hacer tragar piedras...

—¿Y qué fuera?... ¿no valdré yo más que... ésa?
¿Tan poco favor me haces?

—Lo que yo digo es que miras puros monos con
tranchetes. ¿De dónde te vino a la cabeza eso de que
Gertrudis se quiere casar con ella?

—Bien se ve que no tienes nadita de mundo, Anselma; Gertrudis está dañado... yo no sé lo que ella
le habrá hecho. Y lo mero malo es que la Marcela
y don Julián andan a la greña; y si él se la quiere
quitar de encima, la casa lo mismo que a las otras; y
yo te juro que va a dar con Gertrudis que es el hombre
más tonto que yo conozco.

—¡Anda, no me cuentes! ¿Ya perdieron Marcela
y el amo?

—Todo el mundo lo sabe; desde la noche en que
se la halló con el gringo no se ha vuelto a parar en su

casa... Pero oye, cuánto interés pones en esto... Mira que tú eres la que ahora me estás dando en qué pensar. ¡Ay Anselma, eso nomás te faltaba!

—¡Válgame... Mariana!...

Anselma, muy encendida, no podía esconder su regocijo.

Un vozarrón las interrumpió a lo lejos.

—Oigan chulas, si vieran que no les está eso de agarrar sol a estas horas. Lo que es ansina menos van a jallar marido. Síganla pa sus casas, mialmas, que el comal las está esperando.

—¡Pior, viejo malcriado!... ¿A usté qué?...

El bromista siguió su vereda sin esperar más réplicas. Nerviosa, Mariana se puso en pie, levantó la cabeza en dirección a las paredes de la casa grande que asomaban entre la arboleda. Erguida y esbelta, destacábase su blanca camisa y su zagalejo escarlata en el verde formidable de la campiña infinita.

Como nada percibiera de lo que sus ojos buscaban, se echó de nuevo de bruces, hundiéndose en el zacate.

Mancebos y mujeres rezagadas pasaban con sus fardos. Alguien se informó de la causa que detenía a las muchachas y ofreció sus buenos servicios de componedor; sobaría la pierna *enriumada* tan bien, que en un decir Jesús la niña podría hasta galopar. Pero Mariana, de negro humor ya, lo despachó en hora mala.

Por fin apareció el morenciano cabizbajo, abstraído.

—¡Ay... ay... que te pica!... ¡que te pica, Gertrudis!

El, que no había reparado en las muchachas, se

detuvo sorprendido y tirando manotadas al aire, hasta que las carcajadas le hicieron comprender la chanza.

—¡Por Dios, Gertrudis, te has vuelto un manso; estás ya como el burro de la leche; ni las orejas alzas!

—¿Cómo les va?... De veras, no las había visto...

—Ya no ves nada. ¿Quién sabe qué se te ha metido en la cabeza que en vez de mirar pa fuera no más miras pa dentro! ¿Qué estás malo, hombre?

—¿Yo?... más güeno que toas ustedes juntas...

—A ti te han hecho daño... Pero mira, sólo por eso que tu querer ni caso te hace, que se muere de risa de verte como perro enjerido...

—¿Qué me dices?

Anselma se había incorporado. Mariana, languidamente echada boca abajo, levantaba una pierna que caía sobre la otra. Su cabeza se apoyaba sobre sus manos abiertas.

Gertrudis repara en la carne virgen, en la madurez sabrosa que se le ofrece. ¡Si Mariana no hubiera cogido tanta prisa! Pero, la verdad, eso de que las mujeres le hablen a uno, casi es cosa de no aguantarse. Y vuelve a reparar en las curvas insinuantes, en el rico manjar de feminidad ardorosa, mientras que un pensamiento intruso le enegrece el humor: "¡Mariana sería mía, sólo mía!... mientras que Marcela... Pero ¿por qué Marcela, Dios del cielo?"

—No pongas esa cara, hombre, que no es pa tanto. Te lo digo por tu bien; pero no te hagas un inocente, que eso a tu edad choca. Mira, hombre, ¿queres curarte deveras de ese mal de corazón? Yo tengo un remedio que en jamás de los jamases miente... arrímate....

—Mal de corazón es el que ustedes padecen, locas, y pa eso yo también sé cual es el mejor remedio.

Incorporadas las muchachas al calor de la charla, se acercaron a Gertrudis.

—Mira, no te salgas con chistes; ponte la mano sobre el corazón y responde con un sí o un no, como si te estuvieran confesando. ¿Estás enamorado de la Marcela?

Por más que el morenciano previera el paradero de aquella plática, no pudo resistir la oleada de rubor que le subió a la cara. Y constreñido a disimular su turbación, inclinando la cabeza, escondiendo el rostro, buscaba, buscaba en las pretinas de su pantalón de mezclilla un nudo de tabaco.

—Invenciones de la gente —rumoreó como si ello se le diera muy poco— invenciones de los que no tienen qué hacer.

—Bueno, pos tú te sales con la tuya; pero yo me quedo con la mía y digo que este macho es mi mula, ¿sabes?

Sin alzar los ojos de una hoja de maíz que pasó dos veces por el borde de sus gruesos labios, y luego de encarrujarla ya llena de tabaco, se dijo:

"¡Pobre de Mariana! Quiere dar consejos de amor ella que está esperando marido hace no más treinta años. Cree que no se le adivina que todo es puro odio y envidia que le tiene a la otra."

—Te quiero dar la receta, porque eres un papanatas que necesita ayuda. Arrímate y oye. Hazlo como te digo y si antes de dos semanas no me das la razón a mí... me cuelgan del mezquite que más te cuadre.

Tan pudibunda como coqueta, Mariana miró de todos lados cual gandul que va a hacer una travesura; luego, rápida, encendidos los carrillos, acercó sus labios ardientes al oído del morenciano y rumoreó breves palabras. Hecha un granate, al momento se volvió de espaldas, llevóse el delantal a la cara y axclamó:

—Ora sí, lárgate de aquí, vete...

Gertrudis, con sorna, contraído el ceño, golpeó con su eslabón un pedernal; brotó una chispa amarillenta y se difundió el humo aromoso de la yesca.

—Bueno, bueno; no me hace falta tu consejo hoy por hoy... pero si algún día...

—¿Todavía estás aquí, cuerno de Judas?... Anda pronto, que no tengo cara con qué verte.

—Por eso pues. Mariana, ¿qué jué lo que le ijiste?... ¡Judíos!... me tienen como los pastores en Belén.

Mariana se acercó al oído de Anselma y susurró unas palabras tan quedas que parecía que temiera hasta de la indiscreción de las urracas voltijeantes en el ramaje.

—¡Ay, mujer, qué bárbara!... ¡Ja, ja, ja!... ¡Mariana, tienes más valor que el que le habla a un muerto!

XIV

Gertrudis se aleja de las muchachas presa de inquietud y desasosiego. Bien se comprende lo que arriesga Mariana; se juega el todo por el todo. Su envidia a Marcela es clara. Pero ha cogido mal camino: para atrapar marido tiene ciertamente más mundo del que una mujer honrada ha menester. Así es que en vez de componer las cosas en su provecho las pone peor. ¡Ah, pero las mujeres son el vivo demonio! ¿Conque si deveras el consejo fuera resultando provechoso?

Llega al caserío de la peonada y no halla su campo. Se mete a su cuarto, un cuchitril del mesón de Juan Bermúdez, y tampoco encuentra qué hacer allí. Al mediodía no se acuerda siquiera de que no ha almorzado y sale a la puerta a cada instante a ver el cielo. ¡Nada, el sol no camina, parece que se ha clavado en el espacio! Y la diabólica idea no se quita de su pensamiento; ahí la siente como una estaca. El, a la verdad, no está malo de eso de que Mariana pretende curarlo. ¡Que capaz! ¿Enamorado él de Marcela? Ni ahora ni nunca. Marcela le gusta, Marcela le hace buen placer. Sí, es cierto que donde ella no está todo le parece solo, aburridor, triste. Pero es porque ha estado acordándose de Monrency, cuando allá tan lejos se ponía a pensar tanto en ella: la chicuela

que jugaba todo el día cuando iban a cuidar los becerros; la chiquilla que besó en la boca, quién sabe por
qué, la víspera de su marcha a los Estados Unidos.

A efecto de distraer sus pensamientos sale al corral. Como todos los sábados, ese día hay gran movimiento de arrieros. Durante dos horas, bajo un diluvio
de sol, se emborracha del olor penetrante de las cuadras apretadas de borricos, y en el trajín de descargar
adormece sus inquietudes.

Al sol por fin le ha dado gana ya de descender.
Pero un sordo trueno se alza tras la Mesa de San Pedro; luego otro ronco y sonoroso la hace retemblar.
El morenciano mira con intenso desconsuelo una nube
coronando la cresta de peñascos, una nube que va cre-
ciendo y ennegreciéndose rápidamente y que se torna
espumosa e hirviente como el vaho de un cráter. En
breve el horizonte se cubre de la arrumazón avasalla-
dora; en el denso manto del vendaval todo se va bo-
rrando: casas blancas, la sierra azulosa, los campos
floridos. Comienzan a caer gruesas gotas, por fin, que
lo hacen meterse de nuevo en su cuarto.

Afuera zumba el viento huracanado y la lluvia
atruena torrencial; dentro todo ha quedado bajo la calma y la paz de la resignación.

"No hay remedio —piensa— esta tarde no la veré.
Hay agua para toda la noche."

Y boca arriba, tirado en un petate, echa bocana-
das de humo, aspira con fruición el humo del tabaco
y de la hoja de maíz y se queda silencioso, adormecido,
escuchando el estruendo de la lluvia.

¿Cuánto tiempo ha pasado? Despierta con sobresalto. La tempestad va lejos ya; se oye apenas una

menuda lluvia y luego no más las gotas que caen de
los tejados y las ramazones. Una franja luminosa se
cuela por la puerta, y él, que no ha pegado los ojos, se
los restrega como quien acaba de pasar por un largo
sueño, y se incorpora apresuradamente sintiendo que
aquel pedazo de sol le ha bañado el alma.

Una gran tarde de cielo límpido y aire fragante.
El sol se hunde dorando cerros y valles. El morenciano siente su alma agigantada y sedienta.

Remanga su calzón a media pierna, se pone los
guaraches y envuelto en su jorongo musgo, sale en derechura de la hacienda con el corazón que se le escapa.

El sol se ha hundido ya; un tinte de topacio se
descorre como tenue película sobre el fondo de zafir; un
filetillo de lumbre tiembla en las aristas de las casucas
y en las lomas. Los charcos parpadean como estrellas
caídas en el llano; los arroyos en minúsculas cascadas
espumeantes rumorean cadenciosos; la cinta negra de
la carretera deja ver las rodadas de los carros en dos
líneas paralelas, brillantes de agua.

Antes de llegar a la casa de señor Pablo da una
vuelta por los alrededores. Todo está bien; bajo el portalito de la troje, el viejo da conversación nutrida a
los vaqueros. Entonces, ahogándose de emoción, se va
derecho al jacalucho.

—Marcela... dispensa ¿eh?... pero como está
lloviendo me metí... digo...

La voz seca y gutural casi se extingue.

Estupefacta, Marcela se pregunta qué significa
eso. Mira por un ventanuco el cielo como un satín.
¡Si se habrá vuelto loco este hombre!

Y él sigue dando disculpas y contradiciéndose. De

pronto, sin ser invitado a ello, quizás por lo inoportu-
no de su visita, coge un banco de tres patas y se sienta.

—Marcela, siéntate tú también... tengo que hablar contigo...

Afuera mugen las vacas, se oyen los cantos estri-
dentes de los grillos y de las ranas, el berrear de los
becerros enchiquerados. Dentro de la choza, nada: silencio del morenciano que no sabe por donde comenzar; silencio de Marcela que no entiende y está llena
de zozobra.

Los pensamientos confusos de Gertrudis se revuel-
ven en su mente entrechocándose; sus ideas son borrosas, opuestas, contradictorias y sólo lo aturden más.
Porque ahora ni él mismo sabe a qué ha ido allí. Sí,
él iba a otra cosa; pero apenas se enfrentó con ella y
toda la cabeza se le ha vuelto marañas. No, él nunca
la ha deseado así... así como se lo aconsejó la pér-
fida Mariana.

—Marcela —pronuncia de pronto, y se detiene para tomar aliento— yo necesito decirte... es decir...
yo quiero hablar contigo... Vamos, es cosa de que...
Dime... ¿podríamos hablar? ¿Cuándo?...

—¡Ay, hombre! ¡Por Dios! No me mires ansina,
que hasta horror te tengo... No sé qué queres decir-
me; pero, la verdá, juere lo que juere, mejor cállate.
Ya sabes que te quiero muncho, pero ansina vas a hacer que hasta miedo te cobre...

—¿Pero deveras me queres tú, Marcela?

—¡Qué preguntas, hombre! Si eso lo sabes tan
bien como yo; pero deja este misterio y háblame de
otro modo, como siempre nos hemos hablado, como

amigos que hemos sido siempre... ¡Ansina no!... ¡ansina no!...

La faz del morenciano resplandece; el fuetazo imprime a sus pensamientos una orientación definida.

—Bueno, pos mira, Marcela, yo venía... a otra cosa... pero eso no... lo que yo quiero es muy distinto... ¿Cómo te diría?... Bueno, pos que tú dejaras de... mira que... pos que ya no hagas eso... ¿me comprendes?... Mira, otro modo de vivir ya... sí, eso es, otra vida...

—¿Por qué me dices eso?

—Por esto...

Gertrudis siente confusión, vergüenza, como si alguien lo estuviera sorprendiendo en una acción muy vil, y su voz tiembla insegura otra vez; pero lo que viene de muy adentro se impone con fuerza inexorable:

—Por esto... porque quiero que seas mi mujer...

—Tu mujer!... ¿Yo... tu mujer?...

Marcela empalidece y siente frío.

—Júrame por ese Dios que está en los cielos que... ya no...

Marcela calla y deja transcurrir instantes de suprema angustia.

—¿Cómo... no te animas a esto?... —prorrumpe él, pasmado de tal monstruosidad.

Entonces Marcela vislumbra el rayo de luz libertador. Sí, es doloroso lo que va a hacer: es el asesinato a mansalva del único amor puro, del único amor casto de su vida. Su pensamiento coincide punto por punto con el malévolo de Mariana: entregarse a Gertrudis para matarle la ilusión, para salvarlo de ella misma.

El tono de su voz adquiere un encanto indefinible entonces; se acerca a él y sus brazos cálidos le rodean el cuello, lo envuelven en una oleada de voluptuosidad calosfriante. Y lo atrae a su pecho muy suave, muy tiernamente. Sus carrillos frescos rozan las ásperas mejillas de Gertrudis; sus labios ardientes mariposean palpitantes y sensuales por las híspidas barbas del macho que se retira brusco e intempestivo.

—No Marcela... eso no...

Su pecho indómito se estremece ahogando un sollozo; las lágrimas se agolpan a sus ojos resecos. Y dice con inmenso desconsuelo:

—No me entiendes, Marcela... no me entiendes...

Y Marcela, que se ha asomado a lo más profundo de aquella alma ingenua y ha leído en ella como al través de un cristal, exclama, desfalleciente.

—Sí, Gertrudis, todo lo entiendo...

—Entonces júrame que nunca más...

Con voz quebradiza y angustiada Marcela jura.

Gertrudis le coge la mano.

—Adiós...

Y escapa como un loco. Quiere que las estrellas del cielo empalidezcan a la floración de estrellas que ilumina su alma. ¡Marcela redimida ya! Y suya, sólo suya...

Y Marcela absorta, estupefacta ante el absurdo, ante lo imposible, gime:

"¿Yo esposa de Gertrudis?... ¡Nunca!..."

XV

Un domingo por la tarde, de vuelta de la Villa, señor Pablo llegó a morirse a su casa. Marcela se le había huído. Sabedores del caso, las mozas de San Pedro se miraron de soslayo; pero algo vieron tan extraño en la curtida faz del viejo que ninguna se atrevió ni a sonreir. Los amigos, haciéndose desentendidos, guardaron a su vez piadoso silencio. Todo habría sido igual; de señor Pablo no quedaba ya más que el cascajo, y se mantenía en pie sólo como esos viejos robles heridos por el rayo y con el corazón hecho cenizas. Y una blanca mañana de noviembre, el mismo acompañamiento que meses antes escuchara sobrecogido de pavor la negra historia de los Andrades en torno del cadáver del vaquero asesinado, ahora seguía el cajón que se tragara al viejo narrador.

Gran mañana de primera helada. Alburas inmáculas revestían los penachos de los olmos, se desparpajaban en los pastos acamados; blancas gasas flotaban en un cielo tímidamente azul y el mismo sol naciente, contagiado, asomaba anémico sobre la blanca crestería.

De uno y otro lado del camino se extendían maizales de ventrudas mazorcas, despuntados ya, tremolando al vientecillo helado girones de hojarasca.

Los peones rezaban por el alma del difunto; pero

con pensamiento distraído: el matrimonio a vuelta de
pizcas, el marrano para engorda, la compra anhelada
del caballo o del borrico, la apuesta para las carreras
del año nuevo: todo lo que se podía soñar de una
próspera cosecha.

Y ni siquiera el *Alabado,* aquel su canto lúgubre,
tenía acento ni alma.   Alzábanse las voces varoniles,
destempladas y monótonas, cual cántigas de iglesia.

La misma tierra con sus pomas ostentosas parecía burlarse del que en vida pretendiera haberle arran-
cado sus secretos.   No era, a la verdad, día propicio
a la muerte.   La madre tierra y el padre sol estaban
de fiestas y había que celebrar con ellos las bodas de
oro en los panojales, las bodas de plata en las alame-
das yertas y las bodas de esmeralda en los trigales
prometedores.

Apenas si se ensombrecieron los rostros cuando la
última paletada aplanó la fosa.   Las rancheros derra-
maron una mirada melancólica sobre el montón de tierra removida que en breve quedaría hollada, aplanada
y perdida en una tumba anónima.   Dieron media vuelta y desfilaron gravemente, sin que una sola palabra
turbara el seco chasquear de sus guaraches y zapatones por el polvo suelto del cementerio.

—¿Les parece que hagamos la mañana? —propuso austero uno de ellos, ya en las afueras, mirando
un tenducho.

Nadie contestó, pero era tan atinada la idea, que,
calladamente y sin perder su aire fúnebre, mozos y
viejos entraron en una taberna.   Pedro, el carretero,
desanudó su ceñidor azul y contó los centavos.   Li-
baron pronto y en seguida se alejaron sin que se turbara un punto su recato y compostura.

A poco andar, el morenciano se detuvo a la puerta de otra cantina, entornó los ojos y tendió una mano invitando a entrar a sus compañeros. Después del primer tendido todo el mundo estuvo acorde en que el cuerpo pedía refrigerio y descanso. Un anciano dió un gran suspiro y, aludiendo al difunto, hizo filosofía sobre "lo ensenificante que en el mundo semos", luego hubo sermón con la obligada anécdota del mal cristiano que quiso mofarse de un difunto y se quedó patitieso cuando éste se enderezó respondiendo: "como te ves me vi, como me ves te verás."

Entretanto los más mozos habían hecho su mundo aparte en el extremo opuesto de la tienda. Vino la segunda hilera de tequilas y un poquillo de regocijo. Gertrudis desenrolló la víbora de cuero que llevaba a la cintura y la hizo vomitar sonorosos pesos duros y tostones sobre el mostrador, pidiendo más copas. La conversación tomó color. Se habló de Marcela, la hija de señor Pablo. El morenciano se escabulló hacia los viejos.

—Pos yo vide en el peso de la media noche —dijo el carretero, los ojos avispados ya y la lengua fácil— al gringo aquel que le dió de moquetes al amo, rondando la hacienda.

—¡Qué capaz! —exclamaron muchos.

Después de lo ocurrido entre Julián y el ingeniero, era materialmente imposible suponer que éste pusiera nunca más los pies en dominio de los Andrades.

—Pa nosotros son la jiebre, pa los de juera no son arañas que pican —repuso Pedro, bajando mucho la voz y con gesto receloso.

—Lo que yo sé —terció otro— es que la Marcela, de que iba a la Villa, entraba a la casa del gringo ese.

—Puros díceres nomás. Lo cierto es que hoy ni de ella ni de de él dan razón. A bien que, pa lo que ella sirve, ha de andar dándole vuelo a la carlanga.

—Repítalas, amo —dijo uno al cantinero.

Ya la jácara se armaba formalmente. Un gendarme se había apostado en la esquina. Pero como el tendero cuidaba de sus clientes, les advirtió luego el peligro: "El Ayuntamiento está urgido de gente que trabaje sin sueldo en los empedrados." Advertencia más que suficiente para amedrentar a los borrachitos que salieron luego muy humildes y callados, aunque un tanto bamboleantes, y cogieron camino de su rancho.

—Me voy a la leña, Mariana, ahí te dejo, al cabo esos amigos la perdieron ya y no habrá quién venga a darte guerra —dijo Juan Bermúdez a su hija, al pardear la tarde, dejándola tras el mostrador de la vinata, entregada a sus largas ensoñaciones.

Mariana alzó la cabeza asintiendo con un guiño, luego volvió a dejarse mecer por el arrullo de sus pensamientos.

Hundidos los carrillos entre sus manos muy limpias y muy rojas, de codos en el basamento del ventanuco que hacía de mostrador, frente al caserío de doradas techumbres de paja y parduscos muros de adobe, siguió con embeleso las volutas grises de las humaredas incipientes que de trecho en trecho manchaban la aurina inmensidad de los campos y de los cerros escuetos y cascajudos. A su lado se erguía ventruda olla de barro vitroso, derramado por sus bordes la espuma del pulque en fermentación. Unos cuantos botellucos verdes y apastes rojos y redondos completaban la cantina.

Los que de regreso del entierro vinieron a acabar su borrachera a la vinata, habían desaparecido ya, unos conducidos por sus mujeres o sus hijos más pequeños a sus chozas, otros tirados y roncando a las sombras de mezquites y huizaches.

"¿Y Gertrudis, por qué no se ha parado hoy por todito esto? Gertrudis también fué al entierro y ha de andar borracho. ¿En dónde habrá quedado pues?" ¡Lástima de muchacho! Ahora que las cosas se estaban poniendo tan bien. Y cualquiera pensaría que esa manía que ha cogido de beber vino es por lo de la Marcela. Justamente desde que desapareció la moza, Gertrudis se emborracha. Afortunadamente Mariana sabe muy bien que no es por eso. Infinidad de veces, siempre que el mezcal se le trepa a la cabeza, el morenciano ha dicho que la tal Marcela se burla de los hombres porque no se ha encontrado todavía uno que sepa marcarle un cachete con la punta del cuchillo. ¡No la puede ver ni pintada!... ¡Ja, ja, ja!...

Pero su risa declina insensiblemente en honda melancolía, y cuando menos lo piensa está llorando. Llorando, y lo que es peor, sin saber por qué.

¡Loca de ella, sí, loca que se atormenta con los celos más inmotivados y más tontos! ¿Cuándo estuvo Gertrudis más cordial y expresivo? Lo cierto es que ella lo quiere con alma, vida y corazón y se encela hasta de su propia sombra.

El consuelo entra como ráfaga de sol después de la tempestad. En verdad, el mancebo antes tan tosco y tan bruto se ha vuelto un terrón de amores; la va a ver muy seguido, siempre sus ojos la andan buscando. ¡Sangre de Cristo! con esos modos de mirar que tiene, da antojo de cogerlo a pellizcos. Y es un pícaro acabado, el otro día le cogió un cachete al descuido, y cuando ella le riñó por su atrevimiento, él soltó la risa, una risa tan sabrosa que daba gana de apagársela a puritos besos. Y peor cuando le pide una canción. Apretaditos, muy apretaditos los dos, ella siente desfallecimientos, una falta de voluntad y un extraño abandono de todo su cuerpo y de toda su alma.

¡Uy, qué miedo. . .!

Y bruscamente se pone en pie, sus oídos zumban, y sus ojos se dilatan, y llena de zozobra se persigna y reza con paroxístico fervor: "Ave María Purísima del Refugio. Sin pecado original concebida. ¡Tentaciones del demonio!"

Y bajo la imperiosa necesidad de echar fuera al enemigo malo, se pone a dar vueltas aprisa, aprisa, a lo largo de la vinata, hasta fatigar el cuerpo. Cuando se ha tranquilizado un tanto, busca qué hacer. Saca un chiquihuitito y de ahí una escobeta de lechuguilla, un peine de cuerno y una cazuelita con moco de membrillo. Vuelve a sentarse tras del mostrador. Un espejito redondo, más pequeño que la palma de una mano, le sirve de tocador. Deshace su nutrida trenza en un raudal de pelo negro y crespo que cae abundoso de cada lado de sus carrillos febriles.

"Lo extraño —piensa cediendo a la invencible obsesión— es que él no venga sino de que se pone alegre. ¡Ah, tan chocantes que son los hombres borrachos! Pero ¡qué caray! si lo que pretende es otra cosa. . ."

¡Hum! eso sí que no. Mariana sabe bien lo que son los hombres. Dejaría de ser quien es para dar un resbalón a estas horas. Por vida de Dios y María Santísima que eso nunca. El que la quiera la ha de tener por derecho, con la bendición del cura, como Nuestra Santa Madre Iglesia lo manda. Que para eso mero, para no llevarle una vergüenza a su marido, ha sabido ser honrada siempre. Y su indómita actitud y sus grandes energías de eso cabalmente le vienen.

La escobeta pasa y repasa sus cabellos desenredados en haces sedosos e hilos suaves. De pronto los invierte totalmente y su cara se pierde bajo un manto negrísimo que resbala sobre sus hombros y alcanza sus senos apenas esbozados.

—Buenas tardes te dé Dios, Mariana.

Sobresaltada porque ha conocido la voz, bruscamente se endereza y separa sus cabellos en dos gruesas matas, asomando su carita delgada, su frente pequeña y comba, sus ojazos negros, vivos y brillantes, su nariz fina y sus labios escarlata.

—Traigo el cólico, Mariana; cuéceme unas hojas de naranjo.

—¡Qué tal! ¿No te lo he dicho? ¡Esa maña que has cogido de beber tanto! ¡Mira nomás qué cara trais!

—No me regañes, ándale pon la agua luego, lueguito.

Compungido, el morenciano inclina la cabeza y se oprime a dos manos el estómago.

Gertrudis, sentado en el poyo a un lado del obscuro ventanuco, espera, doblegada la cerviz.

—Ya la puse en la lumbre, Gertrudis.

Ahora Mariana reanuda con inconsciente coquetería la faena de su peinado. Mientras, el morenciano la mira y la remira. "¡Ah, si ella pudiera arrancarme la espina que se me ha encajao aquí en la mera chiche!"

Mariana abre una raya muy derecha en medio de su cabeza, desvíala en la frente hacia un remolino por donde escapa un gracioso rizillo. El mucílago ha dado a sus cabellos brillantez de ala de cuervo.

—Te dejo tantito, oigo ya el hervor del agua.

Mariana recoge sus cabellos en un nudo improvisado y corre a preparar el brebaje.

La taza vaporizante expande el perfume delicado de la infusión. Sobre el líquido verdoso y diáfano Mariana vierte a boca de botella un chorro de aguardiente. Los ojos del morenciano brillan con avidez.

A los primeros tragos su dolor se disipa, las líneas de su rostro se despliegan como por encanto, su mirada se anima, y cuando escancia las heces, deja escapar un suspiro de satisfacción. La alegría de la vida; un raudal de juventud corre por sus venas. Y al volver los ojos, agradecido, encuentra otros ojos que se lo comen y unos carrillos que se le ofrecen como riquísimo manjar. "¡Qué tonto soy: estar siempre con la pinción de la otra, cuando hay tanta mujer buena, bonita y honrada!" Y exabrupto exclama:

—Mariana ¿te casarías conmigo?

La moza, tan lista para acometer, se demuda y busca la primera salida falsa:

,—¡Anda... qué cosas tienes!... Toma la guitarra y canta... No estés disvariando, hombre...

Y ríe, pero sus labios tiemblan, su cara se pone como amapola, sus oídos zumban y las palabras se le ahogan:

—Anda, canta una canción... Toma la guitarra y no digas cosas...

El sol, allá a lo lejos, esconde ya la mitad de su

ígnea comba, las sombras agigantadas de los huizaches
y nopales se dejan engullir por la sombra invasora que
enorme asciende de las hondonadas. La tarde se extingue: en la lejanía braman las vacas.

Mariana sale por la puerta del mesón y viene a
sentarse en el mamposte de ladrillo, muy cerca del morenciano, sobre cuyas rodillas pone la guitarra des-
templada.

Gertrudis comienza a torcer las clavijas, luego sus
dedos toscos desfloran las cuerdas gemebundas, primero en vibraciones aisladas como lamentos, luego en
acordes y arpegios rebosantes de expresiva ternura.

Una nube ensombrece su faz radiosa. Se aproximan
más, ensayan a media voz, se igualan en tono y surge
la canción:

—*Pero oyes, María, dicen que ya no me queres.*

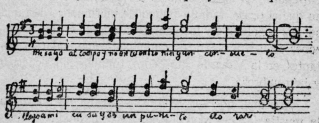

Es lánguida, en terceras que se integran como los
píos de una pareja de torcaces en su canto monorrít-
mico. Una grave, melancólica; la otra aguda y llena de
duzura.

La tonada se repite a cada nueva estrofa. Ellos parecen perdidos en su mundo interior. Las notas se vigo-
rizan, surgen llenas y se prolongan luego hasta desva-
necerse tenues como suspiros, como que no pudieran
acabarse nunca.

Aquel canto es como el de las currucas en el saucedal, cual el del viento gemebundo que abanica los yertos varillajes de los olmos: una voz perdida entre las mil con que el alma de los campos solloza sus tristezas infinitas.

Gertrudis y Mariana no saben siquiera de aquel momento supremo y único de su vida, en que les ha tocado compendiar en sí mismos toda la melancólica poesía de sus praderas desoladas y la intensa tristeza de su raza sufridora y resignada.

Cuando en un acorde seco termina la canción, se miran extrañadamente. Quién sabe qué abismo se ha abierto entre los dos.

Y permanecen mudos largos minutos, mientras que la canción va perdiéndose como un sollozo, de lejanía en lejanía, en la aflicción de la tarde; en el momento en que el ocaso, radiosa pulida de moribundo, derrama su paz sepulcral en los campos ateridos, en las ramazones esqueléticas, en los remolinos como sudarios flotantes, en la Mesa de San Pedro, túmulo colosal, férreo y herrumbroso.

Mariana, que sorprendió la congoja de nuevo en la mustia faz del morenciano, ha comprendido plenamente su fracaso. Y ella, que momentos antes escondiera su inmenso regocijo por la brusca declaración de Gertrudis, ahora pugnaba como un titán por esconder entre los girones de su alma la vergüenza de su derrota final.

Cuando oscureció y él quiso ceñirle su brazo a la cintura, ella lo alejó y con rencor que le corroía la garganta dijo:

—Vete... vete... es hora de que te vayas...

XVI

—Echa aquí —dijo Julián.

Gertrudis destapó el olote de la botella y vertió sobre el hueco formado por las manos juntas de Julián un chorro claro y límpido.

—Cógemela muy bien del bozal.

Julián desparramó una mezcla de tequila, vinagre y mezcal sobre la cruz de la Giralda, abrió las manos y con fuerza y prontitud la frotó del lomo al encuentro y en todo lo ancho del abdomen. Nuevos chorros empaparon las paletas de la yegua y la vigorosa fricción descendió de los ijares a los muslos y a las corvas delgadas y enjutas. Estrechamente sujeto, el animal volvía de vez sus ojazos curiosos hacia el amo, cual si comprendiese la faena. Su piel se estremecía en suaves ondulaciones al contacto del alcohol frío.

Julián acabó sudoroso, con respiración anhelante, las manos rojas a verter la sangre. Entonces Gertrudis envolvió la yegua rápidamente con mantas de jerga, dejándole sólo descubiertas la cabeza caída y lánguida y las patas muy derechas, como enclavadas en la arena. Luego, para evitar intempestivas y funestas corrientes de aire frío, llenó el claro de la puerta con un petate.

—Lo que es a este animal no le montas sin collar.

Yo no quería; pero, por lo que hoy he visto, nadie lo puede correr en puro pelo.

—Como lo mande el patrón.

—Tiene un modo de arrancar, que en la pura salida te despacha a pepenar las muelas a ca mi señor Jesucristo. ¿Tú, cómo te tanteas?

—¡Ah, no, lo que es por mí, pierda su mercé cuidao! Cierto que el animalito tiene su maña; pero croque me crié entre las patas de los caballos pa que hasta orita no me infunda mayor recelo. Pero, como digo, se hará al modo que el amo lo mande.

—¡Qué te le habías de quedar! Si ahora en un ensayo nomás ya te daba fiebre ¿qué será cuando el animal sienta la vara? Por que eso sí quiero, que no nos deje con la curiosidad de saber todo lo que pueda dar de sí; al cabo es la última de su vida. Le bajas la vara y... duro... dé donde diere.

Un olor acre e irrespirable se difundía por todo el cajón. La Giralda sudaba copiosamente.

—Ya está echando el molimiento. Vámonos saliendo, Gertrudis.

El sombrero a media cabeza, las manos abajo de la espalda, haciendo rechinar sus bayos zapatones, Julián paseó de largo a largo de la caballeriza, absorto. De tarde en tarde se acercaba a la boca del cajón, separaba levemente el petate y veía con atención.

De espaldas al muro, bajos los ojos, Gertrudis esperaba las órdenes del amo.

Deveras que la demontre de yegua tiene su maña; pero si el patrón no se armara, la verdad él la montaba en pelo. Tan feo que ha de verse uno pegado como chapulín al collar y allí delante de tanto señor decente. No, lo bonito es el corredor en camisa y calzón blancos nomás, los cabellos parados como el animal lleva sus crines en la vertiginosidad de la carrera; uno haciendo brillar su pelo de oro al sol, el otro tendido airosamente como águila que hiende el aire. ¡El vértigo de la carrera! ¡Caramba, si sólo por sentirlo se puede correr una buena bestia! Y después, el retorno triunfal muy pasito a pasito, conteniendo los ímpetus del animal que resopla ansioso, en tanto que a uno y otro lado de la pista se levanta el huracán atronador de los aplausos. ¿Y si le tocaba la de malas? ¿Si del vértigo de la carrera iba a dar al otro, al último? Gertrudis alza los hombros con desdén y sonríe con esa sonrisa que a veces hace de un idiota un héroe.

—Hombre, Gertrudis, ¿y tú no sabes del gringo aquel que vino a tirar el plano de la presa?

¡Vaya una pregunta! Gertrudis hace un gesto, de mofa tal vez, de rabia contenida quizás. Menea la cabeza y tiene la osadía de no responder.

—Señora Melquiades, buenos días.

—Buenos días le dé Dios, niño Juliancito. ¡Cuánto gusto de verlo en la casa de los probes! Pase, niño, pase; no está aquí Anselma, pero orita mesmo la voy a arrendar.

Encorvada sobre el metate, señá Melquiades, desde el rincón oscuro de la cocina, habla. Levanta su cabeza enmarañada y sucia; hunde las manos en el apaste de los machigües y desprende costras secas de masa de sus brazos. Con una garra de rebozo en la cabeza, el delantal a medio cubrir sus senos colgantes y pellejudos, se incorpora mostrando su cuello de caduco zopilote y sus brazos sarmentosos y apergaminados.

—¡El gustazo que a la demontre de muchacha le
va a dar! Conque ayer pasó su mercé por aquí, ¿qué
le parece que me dijo Anselma? "Mama, mama, mira,
ai va el niño Juliancito, asómate: la misma cara del
Santo Niño de Atocha".

Remata la vejarruca con una risotada de cascajo,
y Julián que adivina la intención última, tiene un arranque de munificencia:

—¡Qué marranos tiene, señora Melquiades! Esos
talachudos no le van a pagar ni el trabajo de engordar-
los. Vaya mañana a la hacienda por una puerca prieta
que pare en estos días; se la doy a medias.

—¡Alma mía de su mercé tan güeno, amo don Julianito; sólo Dios ha de pagarle tantas caridades que hace con los probes! Pero siéntese, niño, en un decir Jesús alcanzo a Anselma. Salió a pepenar moloncos y
hojas pa la puerca. Apenas irá al barbecho.

—No corre prisa, tía Melquiades.

—¡Ah, pero si a ella tanto que le cuadra verlo! Le
digo que la probecita es de tan güen natural, que el día
que se le jué a su mercé la vieja esa, la mentada Marcela, no pudo probar el sueño en toa la noche, Retea-
puradísima porque asiguro que su don Juliancito estaría hecho un veneno. Si le digo que no quisiera que
a su mercé le diera el aire.

Tan inoportuna alusión pliega la frente de Julián.

—Siéntese aquí, niño, voy corriendo a trairla, y
dispense la cortedá de silla; a fin que está en la casa
de los probes.

Sale volando la bruja y Julián, medio aburrido, se
hace tres dobleces en una sillita de tule.

Regresan madre e hija, y ésta, enrojecida y con

aspavientos y melindres de niña bonita, hace que Julián repare en que no está del todo desechable, sobre todo por aquello de matar el gusanillo que tanto daño le sigue haciendo. ¿Qué mejor remedio que un amorcito de pasatiempo?

La charla incesante de señá Melquiades llena los huecos que pudiera dejar el silencio obstinado de los pichones. Una botella de mezcal se queda a la mitad, en una vuelta de boca en boca. Anselma se enciende; brillan sus ojos. En la paliducha faz de Julián aparecen dos chapetones amoratados y en sus ojos azulosos chispean vagos fulgores.

—¿Ya sabe que se le va el pastor, amo?

—¿Quién? ¿Gertrudis?

—Sí, está nomás esperando que pase la carrera. Quizque unos señores particulares le ofrecen güenos destinos allá en la villa.

—No me ha dicho él nada.

—Cómo se lo había de decir a su mercé, si todo el brete que trai es por la tal Marcela.

Julián siente un estacazo en el pecho, pero se refrena.

—¡Marcela!... ¿qué tiene que ver con ése?...

—¡Cómo qué, niño Julianito...! ¿No sabe su mercé pues que está enamoradísimo de ella?

—¿Gertrudis...? No lo creo...

Los tics sacuden sus líneas convulsas.

—Tan es ansina, que su mercé tendrá que verlo.

Julián se muerde los labios. No gusta de tratar asuntos tan graves con la primer comadre, pero tampoco puede fingir indiferencia por lo que tanto le interesa. Opta por guardar silencio, y desde ese instante el humor se le agria a punto de que la misma señá Melquiades se da cuenta de su torpeza. En otra vuelta se escancian las últimas gotas de mezcal.

—Vaya al mesón, tía Melquiades y dígale a Mariana que mande una botella de tequila.

Julián tiene la cara ya muy roja y la nariz erecta.

Tía Melquiades, regocijada de dejar solos a los pichones, musita por el camino padrenuestros y avemarías. "Animas benditas del Purgatorio, que este milagro se me haga. Santo Niño de Atocha, te prometo una vela de a dos riales y una misa rezada con devoción si me lo haces".   ,

A su retorno asoma discretamente y mira con infinita decepción a sus polluelos alicaídos, silenciosos y tristones. ¡Maldita idea la de haber hablado de Marcela! ¡Tan de buen humor que llegó el niño! Pero ya todo lo compondrá el aguardientito.

—¿Y Marcela está pues en la villa, señá Melquiades?

—Sí, siñor, ¿lo pasa el amo a creer? La muy sinvergüenza vive amartelada con el gringo aquél que trujo su mercé a cosas de la presa. Y a mí naiden me quita de la cabeza que Gertrudis se va a la villa a servir, sólo para tenerla más cerca. ¡Hay hombres tan sirvergüenzas, niño Julianito! Y habiendo donde escoger: tanta mujercita hacendosa, muy de su casa y de muncho juicio...

Señá Melquiades se acerca a su hija, que está haciendo el papel más desairado, pues que Julián no repara siquiera en que se la ha cosido a un cuadril, y le dice al oído:

—Arrímate, arrímate más...

De pronto parece despertar Julián, vuelve la cara hacia la muchacha, la mira libidinosamente. Anselma baja los ojos, pudibunda y empurpurada. Y entonces él brutalmente la coge y se la pone sobre las rodillas.

Tía Melquiades respira como quien acaba de ganar una partida muy difícil, y discretamente se eclipsa.

XVII

De fiestas estaba esa noche San Francisquito: los mesones y casas de alquiler atestados de carreteros; las cuadras no podían albergar más bestias, y las gentes que seguían llegando iban y venían en ruidoso tropelío por los empedrados, en busca de un corral siquiera para sus caballos. Los venteros no ponían los pies en el suelo, prontos a servir a tanto amo gritón o impertinente; pero vendiendo como madejas de seda la paja y el rastrojo. Los fonduchos centuplicaban sus tarifas y la fatiga de las fregonas, y contenían apenas la multitud de rancheros en alegre yantazgo. Caras regocijadas e ingenuas; ojos límpidos, azulosos; barbones cejijuntos; sombrerazos hundidos hasta las narices; rostros bonachones y radiantes de estupidez.

En la plaza reinaba igual vocerío y desorden. Lo mismo que en otras partes no se hablaba sino del tapado. Emitíanse mil conjeturas como verdades indefectibles acerca de las bestias y se auguraban triunfos al capricho de cada quien.

Dando las ocho, Gertrudis desensillaba tranquilamente en la casa de su amo. Retrasó su arribo cabalmente para evitar el mosquero de preguntones que le habría asaltado. Pero, a esa hora y con su vestido de morenciano, pudo aventurarse a meterse entre los grupos de rancheros sin ser reconocido.

Vagando sin rumbo fijo, se detuvo ante una casita muy iluminada, alegre y recién pintada. A través de la gasa de una cortina había creído ver un rostro conocido. Pero no; era una dama elegante, vestida de blanco y sólo con unos ojos que... ¡Bah, si no se viera que era deveras decente... él habría jurado!...

¡Que la libre Dios de ponérsela por enfrente!

Siguió adelante y, a poco andar, unos finos y sonorosos taconcillos le hicieron volver el rostro. Se replegó a la pared para dejarle el paso.

"¿En dónde diablos me habré metido?"

Mirándolo con irritante pertinacia, la mujer vestida de blanco pasó en la oscuridad.

—"¡Ay, ya sé!... Con razón esta curra me ha decho acordarme de... la otra... ¡Mulas de la misma manada! ¡Mí qué caso! ¿Una señora sola a estas horas por la calle? A otro perro con ese hueso. Muchas gracias, no fumo... Bonito modo de prepararme pa la carrera de mañana".

Sus sospechas se confirman: la dama se ha plantado y le espera en la esquina. ¡Caramba! Sacarle la vuelta no es cosa de hombres. ¡Bah, qué diantre, le dirá que nones y se tapará bien los oídos!

Pero al llegar a la esquina alumbrada débilmente por un farol se queda estupefacto.

"¡Ella!... sí, ella!"

—Te vi, Gertrudis, te quise conocer... y salí a seguirte... a ver si era cierto. ¡Qué ganas tenía de verte!

Un sordo murmullo, algo que puede ser clamor del animal herido, algo que tiene mucho de la bestia azuzada, es la contestación del morenciano.

—No me respondes; estás sentido. Tienes razón... pero, mira, oye...

Y Marcela habla, habla aprisa, siguiendo el torrente de sus pensamientos que se desbordan y se confunden. Sus frases no tienen sentido ni sus palabras se coordinan.

El morenciano la contempla embobecido. Con sus gasas blancas, sus pelo sedeño en cocas encrespadas, sus ojos negros como jaltomates y sus labios como un corazón de tuna, está adorable.

—...Ha sido por ti, sólo por ti; te lo juro por esta cruz que beso. Así me salvaba y te salvaba a ti... Yo te quero con toda mi alma, pero tú jerraste el camino. ¡Dios del cielo! ¿De dónde te vino el mal pensamiento de ser mi marido?... ¿Yo tu esposa?... ¿Yo?... ¡una de tantas!...

Y prorrumpe en sollozos, mientras que el morenciano se acuerda del puñal que lleva en la cintura.

—Es por demás que me mires ansina... ¡Tú no sabes lo que yo te quero!... ¡A naiden más en la vida!... Sí, sólo tú... sólo tú... ¡Ja, ja, ja!...

Marcela sonríe con risa amarga, a la vez que tiende su mano regordeta y suave y coge la de Gertrudis más fría que el acero empuñado ya.

—Sí ya lo sabía. Todos me lo han dicho. Que el día que dieras conmigo... ¡ja, ja, ja!... No serás tú ése... Es tan imposible como hacer día de la noche... Porque mira, arrímate, porque tú me queres tanto como yo a ti...

Sigue hablando y Gertrudis, adivinando hasta en sus más íntimos pensamientos, vencido, más que por las palabras, por el acento ingenuo y el gesto casi infantil de la muchacha, va soltando poco a poco la empuñadura del cuchillo hasta abandonar su mano entre las dos ascuas que la aprisionan.

—...No, tú no puedes matarme porque nunca te hice traición... Como soy, ansina me quisiste, Ansina me has querido... Yo te dije que sí un día y no te lo cumplí. Pero eso era imposible, imposible de los imposibles. ¡Casarnos, nunca! Yo no sé decirte por qué, pero ansina es.

Entonces Marcela cambia bruscamente de voz y de gesto:

—¿Sabes a quén deveritas le tengo muncho miedo?... Al don Julián; ése me matará, ése nos matará a los dos...

Marcela dilata sus ojos alucinados y tiembla de los pies a la cabeza.

—¡Un miedo horrible, te digo!...

La barrera de nieve sigue fundiéndose; pero aun lucen en la mente de Gertrudis rudimentos de moral, de religión, de honor.

—Gertrudis, vente pa acá. Ai viene el cuico... Vamos a platicar a donde naiden nos estorbe... Ven a mi casa.

—¡A tu casa... nunca! —prorrumpe él, retirando bruscamente la mano, hosca de nuevo la mirada y enronquecida la voz.

—Pero si no te he de ir a perder, criatura.

Marcela desgrana una carcajada.

—Iré al infierno contigo... pero no a tu casa.

Y se deja conducir como un manso corderillo.

¡ El maldito modo que tiene ella de dominarle!

Imposible de creer lo que dice; ella tan altiva y tan soberbia jura que lo ama, y no puede ser sino porque así lo siente.

Empujan una puerta y los baña una bocanada de luz que ilumina una franja de empedrado y el muro frontero de la calle.

Ascienden la escalera y Marcela grita:

—Pablo, echa la llave del zagúan y si vienes míster John dile que salí y te dejé encerrado.

—¡Ah!... ¿entonces es cierto, pues?...

—Sí, Gertrudis; pero no cosa de amor... Miedo, puro miedo... Aborrezco a Julián con toda mi alma y le tengo un miedo horrible...

Por eso me jullí del rancho... Tú no comprendes...

Gertrudis siente que la sangre le hierve, y va a ofrecer la fuerza de su brazo para defenderla, a tiempo que algo como una ducha helada lo agarrota. Han entrado en una recamarita muy coqueta, iluminada en rosa por tres foquillos incandescentes que se abren en sus guardabrisas como una corola invertida, sobre una espléndida cama de encino ricamente ataviada, Gertrudis ve a Marcela y su garganta se anuda. Porque no es ella, su Marcela. Mentira, su Marcela nunca se puso afeites, su talle nunca estuvo aprisionado en esos varillajes extraños, ni calzó jamás botas de glacé dorado.

—Marcela, yo no quero estar aquí... no me jallo...Dejam'irme...

—Sí, nos vamos los dos. Ya sé que estas cosas no te cuadran... Vamos a donde tú mesmo me lleves. Pero, espérate un ratito... Me quito estos trapos que te dan en cara y me pongo mis naguas de percal, así como andaba en el rancho. ¿Verdá que eso mero es lo que tú queres?

¡Cómo no amarla, cómo no adorarla, Dios de los cielos, si todo lo adivina!

Con impudor inconsciente ella deja caer la falda que se abullona a sus pies, y desanuda su corsé... Sus senos ruedan sobre los encajes finos y sus piernas se modulan tras el negro sedeño, descubierta desde el borde de los volantes bordados de la enagua de linón.

Al morenciano se le va la cabeza; un sillón de mimbres cruje y casi revienta al peso tosco que se ha desplomado encima.

Marcela está ya lista: un rebozo de hilo, un chal de lana bien escondido detrás y la falda de gasa aérea.

Enero sopla y el cielo cintilante se pierde, a trechos, en girones aperlados.

Parten y no hablan. Parece que cuanto tienen que decirse, dicho está. Caminan, caminan hasta salir del poblacho.

—Vamos allá —pronuncia ella desfalleciente cuando deja muy atrás el último farol.

—Sí, vamos allá —responde Gertrudis con voz velada y como un eco lejano.

Y aquel allá son sus campos amados, allá adonde cantan los gallos perdidos en remotas rancherías, allá donde el silencio de las noches es matizado con aullidos de coyotes y ladrar de perros.

Entran por fin a un barbecho infinito de soledad y de silencio.

Ya están allá, en sus praderas idolatradas, allá

donde hubieran soñado en secreto la mutua realización
de sus amores inconfesos, en sus campos adorados donde al tropezar sus labios en juegos de niños, supieran prematuramente del supremo deleite del amor;
sus campos saturados con los mejores años de su vida,
aquellos campos que tanto lloró cuando partió para
Morency siguiendo a su viejo padre y a donde volvía sin
él, y en busca de una boca... de una boca que ahora
todo el mundo podía besar...

Y su silencio acaba en lasitud. Caen en el sur-
cal, y ahí, en medio del oro del barbecho, en la desolación infinita de la naturaleza bañada de luna, enero
riega sobre ellos las blancas flores de himeneo de su
menuda lluvia de nieve.

XVIII

Un nutrido aplauso se hizo oír a la hora en que Julián Andrade llegó a la cantina principal, punto de cita de los más connotados carrereros. Con eso y dos copas de coñac, los últimos nubarrones que enturbiaban el espíritu del mozo se disiparon del todo. Charros atrabancados siguieron llegando: atravesaban los cabestros sobre la banqueta y se metían con mucho ruído de espuelas y rechinar de zapatos. Cuando no hubo sitio vacío, con desenfado treparon al mostrador y al sotabanco. Allí estaba ya tío Anacleto, camisa de manta nueva, cotona de gamuza sudosa y abrillantada a fuerza del sol y aire; afuera, entre piafantes bestias, su alazán brioso, digno de hacerle compañía al Mono de Julián. Encogido y hosco, mi Pablón, de blusa crujidora de holanda, pantalonera de venado, sombrero de pelo verde y galón de oro, y mascada solferina, se perdía entre la bulliciosa multitud. Su orizbaya, de falsa rienda apenas, relucía entre las yeguas y los potros como onza de oro acabada de troquelar. De intruso en el círculo se había colado también Gabriel, el hermano mayor de Julián, borrachín escandaloso, desdeñado de los suyos. Escupía por un colmillo y tosía recio cuando algún pelagatos, su compañero de juergas, acertaba a pasar por las inmediaciones. Su carroñoso jamelgo, tomado de ocasión, soportaba con mansedumbre tan cristiana como la de su amo, los trompicones y coces de los arrogantes corceles en torno.

Mil blancas polvaredas se alzaban en las cercanías del corredero. Catrincillos del poblacho, salta que salta por los surcos de salitre, doblados los pantalones, invertidas las faldas de sus sombreros y cubiertos de tierra blanca, llegaban entre los grupos de a caballo, irradiando alegría por cada poro de su cuerpo.

Una maltrecha diligencia se detuvo en medio de una nube de polvo; descendieron damas empingorotadas, graves y austeras como devotas en Viernes Santo. La aristocracia de San Francisquito.

La multitud crecía más y más. Marejadas de soyates, jamelgos extenuados, de orejas caídas, y corceles de pura sangre.

La pista se estiraba como cinta negra, muy recta y muy larga, en una planicie reverberante de blancura salitral.

A los cables tendidos a uno y otro lado, aun nadie se acercaba. Apenas de trecho en trecho alzábanse en sus cabalgaduras escuetas y melancólicas, los guardas municipales, con sus bigotazos negros prolongados por los barbiquejos, como perros con tramojo. A un lado se levantaba apretada fila de olmos, desnudos como haces de púas de plata; del otro, una nube de polvo impalpable; mas lejos, millaradas de volutas blancas y, al fin, cerrando el horizonte, una nube gris e impenetrable de tierra.

Apeáronse de unos borricos con aparejo, multitud de mozas de la vida alegre, jacarandosas y marchitas como rosas de papel de china. Sin saber que el bermellón ostensible de sus carrillos y el torpe lápiz negro de

sus ojos de nictálopes fueran insultos, bombardeaban
luego a los charros más gallardos. Un viejo enclenque
y encorvado casi desaparecía bajo enorme canasta piz-
cadora reventando de comistrajos. Con ollas y cazuelas de cócono a cuestas, gordas comadres sudaban a
chorros. Recuas enteras llegaban con cargas de quiote,
cañas de Castilla, huacales de naranjas y de limas.

Hubo un momento en que los remolinos de polvo
se esfumaban en una cortina impenetrable de tierra. El
sol dardeaba deslumbrante; la gente de a pie se defen-
día, al arrimo de los glaucos troncos de los olmos; los
de a caballo, a la sombra de rizados perules. Se hablaba desmayadamente; las riendas caían laxas sobre las
crines; los párpados se entrecerraban abrumados. Todo
el mundo escondía lo mejor posible su zozobra.

De extremo a extremo los puestos desplegaron sus
blancas alas y se comenzó a oír el chirriar de la man-
teca. Sobre el rumor confuso de aquel mar de gente se
levantó una voz que pasó como un relámpago de boca
en boca: "los Ramírez". Media docena de güeros pe-
cosos, de cabellos azafranados e hirsutos, en arrogantes corceles, haciendo rechinar los correajes de sus sillas plateadas, se detuvieron en una entrada de la pista. Uno de ellos, el más viejo, haciendo caracolear su
caballo, se adelantó y la recorrió paso a paso, regis-
trando minuciosamente el terreno.

—Adiós, don Jesusito: ya sabe que soy con usté,
mi patrón.

—Por usté doy tronchao, mi jefe.

El charro se tocó levemente el sombrero, corres-
pondiendo al saludo de los descamisados.

Los grupos comenzaron a concentrarse y pronto

los cables podían apenas contener la apiñada muchedumbre.

Faltaba nomás media hora para la carrera. La inquietud tornábase en impaciencia. Las mil suposiciones que corrían acerca de las bestias del tapado exteriorizábanse con creciente ardor; se habló mucho en voz baja. Cada quien pretendía poseer el secreto y aconsejaba piadosamente a su vecino. Iniciáronse las apuestas en favor de los Ramírez. Hay rumores de que han traído un caballo fenómeno de los Estados Unidos. Se puede apostar tronchado.

La afluencia cesa; el polvo se apaga en la lejanía. Lo que antes fuera sordo murmullo es ahora vivo vocerío. Trascienden el pulque y el mezcal. Aumenta la impaciencia, los sombreros de anchas alas giran sin cesar, los rostros cejijuntos se vuelven a cada instante hacia el camino, hasta que por fin, en una última avalancha, aparecen los Andrades que es el más escogido grupo de charros. Tío Anacleto en medio, mi Pablón a su izquierda y Julián a su derecha, haciendo caracolear al Mono. Al mismo tiempo, y como brotados de la tierra, surgen en camisas de lona gris, ribeteadas de rojo, los animales de la carrera.

La entrada de Julián a la pista, fija por un instante todas las miradas. Es una fuerza de atracción ineludible, igual a la de una mujer hermosa que se presenta en un salón. El rudimentario sentimiento artístico del rudo hombre del campo revelado en su boba admiración al corcel de pura sangre.

El Mono hacía cabriolas. El negro satinado de su cuello y de sus ancas ondulosas se desparramaba en madejas nutridas y sedeñas de azabache, limpias y frescas como cabellera de gitana. Sujeto al freno, su cabeza se yergue, encorva el pescuezo como resorte de acero, su hocico tasca el freno dejando escapar blancos copos de espuma por entre los filetes bordados de plata. Ostenta gruesos chapetones niquelados en la frente endrina, y sobre los pectorales combos y pujantes, cual los de una bailarina etíope; relampaguean arreos argentados a cada lado de sus narices anhelantes y de sus ojos impetuosos.

Pero las miradas no pueden detenerse más en él; bruscamente todo el mundo concentra su atención en las bestias encamisadas que siguen a distancia de Julián, conducidas estrechamente de la brida por los caballerangos.

Con ansiedad imposible de esconder, Julián entrevera sus miradas en las filas de uno y otro lado. Busca unos ojos, espera una saeta que de un momento a otro habrá de clavársele en el corazón. Y porque la espera, mayor es su tortura. Pero al llegar al extremo opuesto respira con desahogo. ¡Ella no está! Tanto mejor. Aprieta las piernas, y el Mono, que siente una mosca, se crece en gallardía; sus corvas muy derechas, inflexibles, como vaciadas en una pieza, avanzan con movimientos rítmicos y contenidos; ondulan las redondas ancas; el cuello esbelto y flexible se estremece en una cadencia de color y de forma.

En el sitio de arranque, Gertrudis está ya en ropas ligeras esperando la lucha.

"Mil veces mejor que ella no haya venido, porque si la veo con ese gringo, aquí se arma la de Dios es Cristo." Y justamente cuando Julián piensa eso, torna sus ojos hacia un puesto de comida y se queda estupefacto. ¡Ella! en pleno florecimiento, cual nunca la hubiese visto así de hermosa.

Marcela, incapaz de sostener la mirada de Julián, baja los ojos.

El no puede contener la tensión de sus nervios; aprieta las piernas, las espuelas se clavan en los ijares; el potro se dispara y un brusco tirón de riendas lo sienta sobre las patas traseras que abren dos rayas paralelas en cuatro metros de terreno.

—¡Ese es el Mono, don Julián! —exclama entusiasmado el juez de partida.

El traje de pueblo hace más provocativas las formas de Marcela. Lleva una gardenia prendida en sus trenzas negras y rebruñidas. Julián se relame y quiere hablarle. Aunque sea dos palabras nomás. Pero ¿si la diablo de mujer le va a hacer una de las suyas? ¿Si lo va a poner en ridículo allí donde todo el mundo los está observando?

—¡La Giralda! —exclama el más joven de los Ramírez, reconociendo demudado a la yegua que va pasando.

—¡Qué Giralda ni qué jijos de...! ¡qué conocimientos de... tal! ¡No seas...!

El muchacho se desconcierta; pero un rápido juego de gestos de su hermano mayor y un tirón de la cotona, todo inadvertido por los curiosos en torno, le hacen comprender su indiscreción. Al instante se pone a charlar como perico y despista a los que le escuchan como al propio oráculo. Y entonces, seguro ya de que su estupendo descubrimiento no fué nunca misterio para sus hermanos, sigue el mismo juego de ellos. Se aleja, se entrevera con los rancherillos piltrafientos, y sin ser advertido alarga un fajo de billetes a uno de ellos, rumora breves palabras a su oído y se marcha luego a repetir la maniobra en otros sitios.

Por segunda vez las bestias de juego recorren paso a paso la pista. La polvareda, apagada ya, no impide examinar detenidamente a los animales enmantados. El vocerío va en aumento. Rancheros irrespetuosos hacen entrar a viva fuerza sus matalotes hasta las primeras filas; los de a pie se entreveran con los hocicos espumosos de los caballos. Potrancas y potrillos se reconocen, se desean; algunos vuelven melancólicamente sus cabezas y relinchan la nostalgia de sus cuadras.

En el extremo de partida se han situado los Andrades, en la meta los Ramírez.

—Cien pesos a la rubia —es el primer grito que rompe la algarabía general.

Una avalancha de encamisados pasa ofreciendo dinero en favor de la yegua

"¿Quién quiere cien a la rubia?" "Doy cincuenta al caballo." "¡Aquí doscientos a la rubia!"

La muchedumbre toma dinero por todas partes. Los que han reconocido a la Giralda se guardan el secreto como riquísimo hallazgo, medio desvanecidos de emoción; los que confían en el caballo fenómeno, traído de los Estados Unidos, toman cuanto pueden apostar por él.

Aturde la grita de los corredores; las apuestas se cruzan rápidas e incensantes.

En el arranque, los corceles esperan bajo sus mantas, enseñando nomás las erguidas cabezas y las patas. Uno es oscuro, de gran alzada, de gruesas piernas y musculación de acero; la otra fina de formas y

tostada como oro viejo. *Zulema* dicen las grandes letras rojas de la camisa de la yegua; *Nerón* es el nombre del caballo.

"Doscientos a la yegua." "¿Quién quiere cien a
la yegua?"

Con entusiasmo delirante, dentro del cable van y
vienen los gritones con las manos desbordantes de billetes y pesos fuertes. Se entreveran, se estorban, se
atropellan; aquí se detienen, corren a un llamado más
allá; sus manos se vacían y, como por milagro, reapa-
recen al instante con más pesos y billetes. El vocerío
no deja oír nada distinto; pero se adivina ya una lucha
desigual. Un río de dinero, nacido quien sabe dónde,
viene corriendo a favor de la yegua. Los Andrades parecen ajenos al juego y se mantienen en sus puestos sin
emoción. En cambio la alegría más sospechosa brilla
en las miradas felinas de los Ramírez. Comienza la zozobra. Corre el rumor de que, viéndose perdidos, ellos
mismos están apostando a la contraria. Y entonces el
combate afloja. Los voceadores se desgañitan, van y
vienen con los puñados de dinero que todo el mundo
rehusa de pronto.

—¡Doy setenta y cinco a la yegua!

—¡Yo doy tronchado a la yegua! ¿Quién quiere
pesos a cuatro reales?

Pero los esfuerzos son inútiles y el timbre suena al
fin, anunciando el final de las apuestas.

Como relámpagos los voceadores desaparecen de
la pista.

Callosos pechos treman de emoción. El Juez de
arranque está ya en su sitio, los veedores a cada lado
del cordel. Es el momento de descubrir las bestias. Len-

tamente, teatralmente, los corredores desabotonan las camisas de sus corceles.

Un grito como un chispazo eléctrico recorre el circuito humano. Una exclamación unánime pasa como lívida ráfaga por los rudos semblantes:

"¡La Giralda"!

—Es un robo. ¡Salgan siquiera al camino real, bandidos!. . . .

La gendarmería rural realiza el milagro de sofocar oportunamente un tumulto, poniendo a buen recaudo al inconforme.

—Cinco minutos —grita el Juez de partida, fijos los ojos en su cronómetro.

Las dos bestias lucen sus sedas al claror refulgente del medio día; la yegua dardea su oro; el caballo su esmalte endrino.

Julián, ora mira a Gertrudis, ora a Marcela.

El morenciano, hosco, pide el collar al viejo Marcelino y lo ajusta holgadamente al onduloso de la Gi.-ralda.

Hasta entonces repara Julián en la gardenia que Gertrudis lleva prendida en la pechera, la misma que ha desaparecido de las negras trenzas de Marcela.

Su boca se seca y rechinan sus dientes.

—¡Quítale eso, Gertrudis! —ruge con voz descompuesta y rostro cadavérico.

Gertrudis se vuelve inalterable y en vez de ojos encuentra brasas, pero sostiene tan serenamente la aguda mirada, que Julián tiene que volverla hacia otro punto.

Sonriendo, despectivo, Gertrudis coge el collar del cuello de la yegua y lo rompe de un tirón arrojándolo como al descuido a las patas del Mono que se encabrita.

Los ojos de Julián son dos puñales.

—Tres minutos —anuncia el Juez con voz estridente.

—Hombre, Juliancito, mira lo que vas a hacer. A esta yegua nadie le ha montado nunca sin collar. Mata al muchacho —clama el tío Anacleto.

—Mis corredores han de ser corredores, y si no que se los lleve la...

—No tenga cuidado el amo; nada le hace —afirma Marcelino, mostrando sus dientes agudos de lobo.

Pero Gertrudis nada escucha ya. A un tiempo han saltado los rivales sobre los sedeños lomos y ensayan a ponerse a un tiempo preciso en la raya.

—Dos minutos...

—Así no la montes, Gertrudis, te va a matar —llega una voz perdida entre la multitud agitada.

Marcela intensamente pálida se acerca a la pista y permanece extática.

El morenciano pertenece sólo a su yegua; es el alma misma de la Giralda, y lo que afuera buye no existe más para él.

—Un minuto...

Silencio formidable. Los dos animales retroceden de la raya, paso a paso avanzan y se igualan, a un tiempo pósanse cuatro pezuñas en el cordel y un grito agudo y doble hiende los aires. Tendido, untado al lomo de la Giralda, Gertrudis sale arrebatado en un torbellino de tierra.

Instantes después la Giralda recorre triunfal y muy lentamente la pista; su pelo de metálicas tonalidades muestra las huellas de las pantorrillas y los talones, cual si se le hubiesen incrustado, y el morenciano, sin sombrero, la greña al aire, lleva madejas de crines en las manos e hilos rubios en los dientes.

XIX

De regreso de las carreras llegaron los Andrades con un notición que revolucionó a todo San Pedro de las Gallinas. Los pacíficos labriegos sintieron corazonadas de mal augurio; muchos pechos femeniles palpitaron con azoro y otros con el regocijo y los deseos mal contenidos de los quince años. Doña Marcelina sufrió un desvanecimiento y Refugio lloró lágrimas de regocijo. Que ya van a salir excarcelados los Andrades; que con desprendimiento, apenas para visto, don Anacleto ha facilitado el pago al Gobierno por al libertad de sus sobrinos. Allí en la vieja salona donde vegeta don Esteban, tío Anacleto refiere por centésima vez cómo ocurrieron las cosas, y por centésima vez le escuchan atónitos, don Esteban, que entiende cuando le da la gana, Doña Marcelina, que tiene surcos en las mejillas, de llorar, y Refugito, que en fuerza de las circunstancias, háse visto constreñida a dar placentera acogida a las galanterías intempestivas de mi Pablón.

—Pues sí, hermano —repite don Anacleto, ya con la mirada brillante y erectas las rojas narices, en los comienzos de la primera borrachera del día— ya vas a tener el gustazo de dar un estrechón a esos buenos mozos. ¡Pues no faltaba más! ser uno de la misma sangre y no hacer nada por ellos. ¡Buen trabajo que me dió el resabioso de Juliancito! ¡Quién lo había de creer!

Pero nada le valieron sus alifafes, le apreté duro la clavija y tuvo al fin que convenir. Como ustedes saben, en los cuatro mil pesos de la apuesta íbamos *por los*. No más cayó el dinero en mis manos y le dije: "mire, amigo, dos mil son de usted, dos mil míos; bueno, pues ahora todos son suyos; nomás coja esos centavos y váyase al lugar, hable con sus licenciados para que echen luego, luéguito, a los sobrinos de la cárcel." "No, tío Anacleto, no hay con qué pagarle pronto, estamos llenos de compromisos." Y que esto y que lo otro y que va y que vino y que fué y que volvió. "¿Quién ha dicho aquí nada de pagar, Juliancito? Andele pues, haga lo que le mando; pero antes páguele a su corredor, que muy bien ganados se tiene sus cuatro mil reales." ¡Qué corredor, niñas! ¡En mi vida he visto cosa igual! Demontre de pelao; ¡pues no le ha puesto la vara a la Giralda, en puro pelo! Les digo que es el mismo demonio. Bueno, como les iba contando, comprometí a Julianillo, le piqué la cresta, delante de todo el mundo, y ahí venimos a la villa con todo y su muina y coraje. Estaba de tostar chiles. Llegamos a casa del licenciado y eso fué de partes y partes al Gobierno todo el santo día de Dios, hasta que dejamos el negocio redondito. Cuatro mil pesos nada menos por la libertad de los sobrinos. Dentro de dos o tres semanas los tendremos aquí en la casa, pues. ¿Qué dice usted de esto, niña Refugito? ¿Qué le parece, doña Marcelina? Ni ganas de ver a esos buenos mozos, ¿verdad?

Nadie, ni menos Julián, que víctima de su horrendo humor se mantenía a distancia del grupo, sospechaba a dónde habrían de parar los desprendimientos del tío

—Bueno, —prosiguió éste, cambiando bruscamente de voz— pues ahora tenemos que hablar de
otra cosa ¿eh. Pónganme cuidado, hermano, Marcelinita, y principalmente usté, niña Refugito.

Removió sus cansadas posaderas, arrastrando el
equipal se acercó al viejo valetudinario y, mirando por
un momento interminable su cigarro, después de echar
una bocanada de humo a la cara de sus parientes, dijo
apausada y solemnemente, con la gravedad que el estado de su embriaguez le permitía:

—Ustedes habrán oído decir por ahí... Pero ahora que me estoy acordando ¡qué decir ni qué decir!...
Lo que se ve no se pregunta... Estos dos demonches
de muchachos...

Se detuvo; sus ojos enrojecidos y brillantes de malicia se posaron sobre los primos que se mantenían
sentados lado a lado.

Ante una alución tan inesperada, doña Marcelina
dejó de llorar su regocijo y clavó sus atónitas miradas
en "mi Pablón" y Refugito. La muchacha, lejos de
ruborizarse, se había puesto lívida de indignación. Pero una y otra enmudecían, pendientes aun de los labios
del vejete ebrio.

—Lo de menos habría sido traer al señor Cura;
pero yo pensé "¿a qué vienen todas esas políticas entre
los de la familia?" ¿No les parece que lo más claro
es lo más decente? Bueno, pues vengo a pedir la mano de Refugito para mi Pablón y san se acabó. ¿Qué
dices tú de esto, hermano?

El interpelado lanzó un gruñido de marrano ama-
rrado y su mano trémula se agitó; un dedo, todo arru-
gas, se desplegó con inaudito esfuerzo. Cualquiera ha-

bría dicho que mostraba la puerta al pretendiente; pero la interpretación de tal gesto fué otra para don Anacleto:

—¡Ya lo ven, niñas, ya lo oyen!... Quiere decir mi hermano que cuanto antes sea, mejor.

Las caras compungidas de las mujeres se encontraron en su indecisión.

Al fin Refugio respondió resuelta:

—Tío Anacleto, la verdad es que usted está engañado, nada de lo que piensa es cierto. Puede preguntárselo al mismo Pablo. ¿Verdad, primo, que mi tío está mirando lo que no hay?

—¡Je... je... je...! Mi padre tiene mejor vista que usté, Refugita. ¡Je... je... je...!

Doña Marcelina estaba consternada; Refugio se retorcía las manos.

—¡Por Dios, madre, digo la pura verdad!

Entonces Julián se acercó:

—Mira Anacleto, las cosas han de hacerse bien a bien y como Dios manda. Cada cosa quiere su cosa. Tú pides a Refugio para Pablo y estás en tu más legítimo derecho. Bueno, mi madre te pone un plazo para la contestación, y ella está en lo justo.

—¿Y a qué vienen plazos? Entre Pablo y yo no hay nada, ni ha habido, ni habrá jamás... ¿Entonces...? Si le digo pues que no, desde ahora mismo, a nadie le hago un desaire.

—¡Ah, sobrinita, conque así...? ¡Hum... pos está bueno... está bueno...!

El viejo sonreía, los ojos fijos en el suelo. Arrojó el cigarro con mal reprimida cólera y exclamó:

—Pos entonces a ensillar, mi Pablón... Ya lo vido, amigo, resultamos aquí de más ... Andele, salga y ensille, vamos a ver donde no salimos sobrando...

—Anacleto —prorrumpió angustiada doña Marcelina— no tomes esto a desaire; pero ponte tú en nuestro lugar...

Al viejo paralítico le relampagueaban los ojos de alegría.

—Andele mi Pablón —prosigio don Anacleto despectivamente, levantándose a duras penas, escupiendo por un colmillo y sordo a las disculpas de la afligida madre. —Andele a ensillar. ¡Qué quiere, amigo, nosotros no semos de botita amarilla, ni bufanda de estambre, ni chaqueta de casimir francés! ¿Quién se lo manda ser pelao, mi Pablón?... ¡Andele, sígale y ensille su recua! ¿Qué no le da vergüenza? Acuérdese que usted es de los meros hombres y nadie le ha arañado nunca las barbas... Porque no es usted de los que manchan el pabellón de los Andrades.

Julián se acercó y en voz baja dijo a doña Marcelina, implorando todavía:

—¡Déjelos, madre, déjelos que se larguen lejos al... tal!

—Conque ya nos veremos, niñas; adiós, hermano; hasta más ver, Julianillo...

—¡Anacleto, por Dios, no tengas ese genio, no te vayas así! Dame un plazo siquiera... No es posible que salgas de esta casa de esa manera, después del beneficio tan grande que nos has hecho.

—¡Ah, madre, pierde cuidado —saltó Julián— no te apures, que no hay compromiso alguno! Tío Anacleto, aquí tienes tu dinero. Si algún día lo necesito, iré por él a tu casa...

—¡Hombre Julianillo, quén se acordaba ya de esto!... ¡Cabal, cabal!... Dices muy bien, amigo, pero retequebién que hablas. Vengan acá buenos mozos, que no hay más amigo que es Dios ni mejor pariente que un peso en la bolsa. Conque viéndonos... Arrímese el prietito, mi Pablón, y ayúdeme a subir, que ya está chocheando su padre.

Franquearon el portón y ya en pleno campo raso el viejo lanzó un grito:

—Mi Pablón, apriete la cincha que le voy a meter un caballazo pa que se le enfríe la muína... Compóngase, mi Pablón, que me fuí...

Arroja su potro oscuro a la vez que el muchacho alinea su orizbaya.

Chocan con estrépito y, a un ruido hueco, viejo y cabalgadura dan formidable batacazo en los tepetates.

El bruto mansamente se endereza y se mantiene quieto en espera de su amo. Pero éste no puede moverse y gime adolorido:

—¡Ay... ay... ay...! ¡Hombre, mi Pablón, mire nomás qué porrazo me ha dado!

—¡Ah, qué mi padre!... ¿pos pa qué se atravesó ansina?... Parece que no sabe... ¡eso se saca por pendejo!

Retraído a sus negros pensamientos, Julián vió desaparecer a sus parientes con muda indiferencia. Su faz patibularia escondía una fragorosa tempestad interior.

En ese momento acertó a pasar el viejo Marcelino con una brazada de hojas crepitantes de maíz.

—Oye, Marcelino, ¿vino ya Gertrudis?

—No, amo; ni tiene a qué venir...

—¿Cómo?...

—Sigún razón cargó ya para juera con sus tiliches. Pero si al amo se le ofrece algo.

La cara mortecina del sirviente escudriña con avidez el semblante de Julián. El amo chico nunca había querido hacer su confidente al pobre viejo que tan buenos servicios supo hacer a los señores grandes. "Muy mal he de cairle pa que destinga al mocoso Andrés... ¡Hum!... ya veremos... ya veremos... aquí estamos sobrando uno de los dos... o Andrés o yo..."

Julián sostiene una lucha; comprende la mirada inquisidora de Marcelino, y su rebeldía y su obstinación crecen. No quiere implorar ayuda de nadie, por no descender al punto de una confesión absurda; de mostrar su llaga, incurable quizás; de enseñar a un mísero peón su alma corroída de celos y de impotencia. Y hace un esfuerzo de serenidad imposible; pero el viejo perro ve muy bien el brillo conocido de la mirada del felino, el músculo que sacude un espasmo y la faz asimétrica.

Tío Marcelino comprende que tiene que llegar su hora y sigue su camino con la brazada de rastrojo.

—Primo —exclamó de repente Pablo, entrando a trote al patio— dispensa la grosería; mi padre está allí afuera con una pata desconchinflada; lo tumbó el cuaco. Dame licencia de meterlo aquí no más en mientras voy a traer a tía Remigia la componedora.

—Anda, hombre, vamos por él; no me digas más.

Las señoras, que se dieron cuenta del caso, entraron en consternación y se apresuraron a preparar alo-

jamiento al tío. Doña Marcelina armó un desvenci-
jado armatoste y lo acolchonó con tilmas hilachentas.
Refugio amontonó los olotes del cuartucho húmedo y
oscuro en un rincón. Barrieron, trapearon y cuando
llegó don Anacleto gimiendo y lloriqueando, ya todo
estaba listo.

—Niñas, un vasito de mezcal de por el amor de
Dios —pidió el lesionado para apagar su sufrimiento.

No uno, sino repetidos vasos llenos son necesarios
para sostener al hombre y ponerlo a roncar como un
cochino.

Cuando despertó, dando terrible alarido y lanzan-
do tremenda interjección, dos garrudos rancheros lo tenían inmovilizado de pies y manos, y tía Remigia, la
curandera del Refugio, acababa de dar un formidable
tirón a la luxada cadera, haciendo entrar con un trac
neto y sonoro la pierna en su lugar.

Y aunque el resto se redujo a maniobras de masa-
je un tanto bruscas, el tío siguió dando desgarradores
lamentos que no hubieran de cesar sino hasta la hora
y momento en que la comadre, con una sonrisa de
triunfo y sonando sus veinte reales en la bolsa, dió sus
disposiciones complementarias: una bilma de palo le-
chón en el golpe; no beber leche ni atole blanco en
quince días, so pena de que se formen las materias y
todo se eche a perder.

Todas las tardes, al oscurecer, cuando el ganado se ha recogido y rumian somnolientas las vacas en la majada, mientras los toros cruzan sus recias encornaduras en la postrer disputa del día, aparecen en la loma, al poniente de la Casa Grande, dos borrosas siluetas, don Julián y Marcelino, de regreso de la presa en construcción a punto de terminarse ya. Los vaqueros los esperan para echar las trancas del corral y volver luego a sus hogares. Pero aquella tarde primaveral los peones vieron cómo, al llegar al ángulo donde divergentes veredas confluían, amo y mozo se desviaban hacia la ranchería parpadeante en rojizas lucecillas, en la inmensidad de rizadas y tiernas ramazones, en el boscaje vagamente perfilado sobre una radiación luminosa de anaranjado diluído.

—Buena señal —dijo el carretero— al amo se le va a espantar la murria. ¡A poco le cuadra Mariana ora! Van derecho a casa de tía Melquias. Me alegro y me retealegro. Yo le tenía buena disposición a Anselma; pero lo hacen a uno menos, nomás porque lo miran probe. Y más gusto me da porque van a quedarse como el perro de las dos bodas, sin una y sin otra. Ya se les quemaba la cazuela, creiban que iban a meterse en el corazón del amo Y nada, ¡que ya les olió su maíz podrido y se los avienta a las puras narices!

Y cuenta el desairado pretendiente cómo el amo
don Julián logró conquistar a Anselma o, mejor dicho,
cómo se dejó conquistar por ella. Y dice que los proyectos de las viejas dieron al traste; pues con una sola
visita hubo para que al amo se le acabaran las ganas
de volver a poner más ahí sus pies.

—Pa mí no es que le tenga mala voluntad a la
muchacha —observa alguno— sino que está enhechi-
zado. Miren cómo ya parece charal. ¡Qué va a poder
querer a las mujeres!

—Sigún razón, lo tiene ansina Marcela la de señor
Pablo. Pa mí también es reteverdá; yo vide una noche a tía Crescencia con sus dos hijas que las traiba a
vistas... ¡Don Julián, como si pa maldita de Dios la
cosa! Les digo que ni alzaba a verlas.

—Yo lo que vide, lotro día, fué a señá Remigia,
la de El Refugio, que pa eso de curar enyerbaos no
tiene compañera. Toda una tarde se estuvo allá adentro con el amo.

—Echaremos pues las trancas, muchachos; lo que
es ora no viene hasta la madrugada.

Crujen las agujetas de encino enfilándose en los
orificios de los soportes. Al rudo rechinar despiertan
las vacas y mugen. Después todo vuelve al sosiego, y
la soledad y el silencio reinan de nuevo. Los peones
se meten al portalito, trepan al carromato, se tiran boca
arriba y, mirando al cielo que comienza a cintilar, pro-
siguen sus relaciones.

Andrés, el mozalbete que aspira al puesto defen-
dido por Marcelino, habla con encono de éste, vaciando
todos sus odios y envidias. Cuenta que sólo a fuerza
de bajezas el viejo mozo de don Esteban ha recobrado

su predominio, ganándose las confianzas del amo chico. Se dicen horrores de Marcelino. La exaltada imaginación de los labriegos encuentra ancha veta que explotar en las mil leyendas que corren de boca en boca acerca del cómplice de las fechorías de don Esteban Andrade. Cada cual refiere la parte de historia que sabe. Hay quien diga haber escuchado una noche, en la vinata de Juan Bermúdez, a Marcelino, borracho, contando el número de homicidios perpetrados por sus propias manos. Mostraba una daga de una hoja muy fina con muchas rayas: por cada raya un cristiano. Otro, aterrorizado, refiere que oyó de boca de Juan Bermúdez que Marcelino, ebrio, había dado un pormenor de cómo él y don Esteban hacían perdedizos a los que estorbaban. Era en un sitio muy escondido de la Mesa de San Pedro, llamado la Cuevita. A la media noche sacaban a los hombres, amarrados los codos tras de la espalda, con un trapo metido entre los dientes, y al llegar a la boca de un foso recién abierto, a una señal de don Esteban, Marcelino, sobre el cuello bien tendido de la víctima, ¡rájale! un tajo certerísimo; y caían como los bueyes en el abasto.

Andrés callaba ahora, temeroso de que los peones excitados repararan en que cualquier elegido por los Andrades para mozo de estribo a tales faenas estaba destinado. Procuró encaminar la conversación por otros derroteros; pero todo en vano; una vez puesto en tensión aquel resorte, materia de plática había, y de sobra, hasta rayar el alba.

—Mariana, Mariana, unas bandejas de pulque.

Julián, sin apearse del caballo, doblada la cerviz, metía la cabeza por la ventanuca de la vinata.

Marcelino apenas podía creerlo. Cualquier otro habría desesperado del silencio pertinaz de su patrón. Cuatro meses ya de mutismo absoluto, cuatro meses de aguantarse aquel genio endemoniado. Pero todo cambia repentinamente. Por quién sabe qué conductos llegó a oídos de Julián que Gertrudis, el morenciano, apurado por despilfarros de la Marcela, se enganchaba con muchos trabajadores a Morency. Y con eso había sido bastante para que los negros pensamientos se ahuyentaran y su acritud se tornara en regocijo. Esa misma noche, deshechos los hielos, invitaba llanamente a su fiel criado a echar unos tragos a la cantina de Juan Bermúdez.

El viejo Marcelino presiente la hora de realizar al fin sus ensueños. Si al amo se le ofrece uno de esos servicios de que tanto gustaba don Esteban, está ya asegurado el porvenir de un pobre viejo a quien odia todo el mundo y que, inútil para las rudas faenas del campo, está próximo a verse abandonado, sin familia, sin pan y sin hogar.

Mariana, que ha vuelto con dos vasijas de barro rebosantes de pulque, se mantiene de pie y respetuosa, esperando que sus clientes las agoten. Julián se anima, galantea a la muchacha; aunque ahora, sin que él sepa a punto fijo por qué, le es menos atrayente, Mariana, flor exquisita, exótica y rara en los campos incultos, contrasta por su finura y esbeltez, por su neurosis de gente civilizada, con todas aquellas hembras panzudas, piernudotas y recias de pechos como vacas suizas. En más de una ocasión sus ojos perturbaron ya a Julián Andrade.

Se retira con las vasijas vacías, enciende luces e invita a los honorables visitantes a entrar en la vinata.

Ellos no se hacen del rogar, abandonan sus cabalgaduras al cuidado de un chico oficioso que se apronta,
y pasan.

—Mariana —exclama Julián sin pizca de mala
intención— a ti te está haciendo falta tu media na-
ranja.

Pero Mariana, que tiene su pensamiento bajo la
obsesión aplastante de su fracasado amor, piensa que
de todo el mundo es sabido su intento vano de matrimonio, y siente encono, zaña y mofa de su dolor en
las palabras más sencillas; con el corazón sublevado
de odio para todos los hombres y para toda la huma-
nidad, los ojos ardiendo de cóler,a, responde con inesperada altivez:

—Más falta le está haciendo a usted la suya...
y así se queda.

Ante un ataque tan imprevisto, Julián abre los
ojos.

Marcelino sonríe despectivamente. ¡En lo que han
quedado los Andrades! ¡Qué esperanza que uno de
aquellos viejos, deveras hombrecitos, hubiera aguanta-
do un segundo nomás semejante chifleta! Este infeliz,
insultado por una mujer, todo lo compone con reírse,
sí, con reírse como un imbécil, como Tico el bienaventurado; y no sabe qué contestar.

Julián ciertamente calla, pero buscando la manera de apagar el insulto con otro mayor, más mordaz,
más doloroso, que haga verter sangre del alma. Estu-
dia, pues, a Mariana detenidamente, la escudriña de
los pies a la cabeza.

Ella está de pie, con un cantarito entre los brazos,
pronta a llenar de nuevo los apastes.

Julián ve de pronto su venganza.

—Pero mujer, ¿qué te ha sucedido? ¡Estás hecha una compasión!... Marcelino, ¿ya le viste la pata de gallo a Mariana?... ¡Ja... ja... ja... ja... ya Mariana tiene pata de gallo, Marcelino!

—Y hasta espolón —responde el viejo, arrimando la luz de un farolillo a la cara empurpurada de la muchacha.

—¡Ja... ja... ja...! ¿A poco te has hecho vieja de la noche a la mañana? A mí no me la pegas, Mariana; tú estás dando gato por liebre. Marcelino, esta chicharra vieja se pone colorete.

Amo y criado ríen a carcajadas, y la guasa prosigue brutalmente.

—Anda, abuelita, repite los vasos... a tu salud.

A cada nueva libación Marcelino en señal de respeto se aleja, vuelve la espalda a su patrón y de un sorbo se voltea la jícara hasta morder el barro.

A Mariana se le agolpan las lágrimas y los sollozos. Julián ha dado un certero golpe. Desde la gran desilusión final se ha dejado de aliños y composturas, y los treinta años se le han echado a la cara con refinamientos de crueldad. Su color quebradizo está marchito, sus ojeras, antes un tanto sugestivas, se han tornado en cuencas cenicientas de matices mortecinos. Si algo restaba en sus negrísimos ojos de aquella luminosidad esplendente, no era más que un odio enorme, inconmensurable y eterno a la vida; el anhelo dolorosamente melancólico de la desaparición, el abatimiento final de la doncella frustrada que tardíamente derrama lágrimas por el desvanecimiento de toda una vida estéril, encerrada en una esperanza, en un deseo sano y casto.

—¡No te arrugues, cuero viejo... que te quiero pa tambor! —grita Julián ya en plena excitación alcohólica —Mariana, busca novio, agárrate al primer tacuache que se te ponga enfrente.

—Yo, ya soy vieja, niño Julián, y peores cosas me han de suceder; pero, ¡qué vergüenza que a usted tan buen mozo, tan jovencito y con tanto dinero, lo hagan menos!... ¡que uno de sus sirvientes le haya quitado la novia...! ¡Ja... ja... ja...!

La risa de Mariana adquiere una sonoridad metálica, estridente; risa histérica.

A Julián se le pone erecta una venilla azul que serpentea en su frente paliducha. No encuentra contestación y finge haber llegado al momento de embriaguez en que se comienza a no entender. Balbucea insolencias y frases sin sentido.

Marcelino, estupefacto, sale a la defensa del amo:

—No te apures, Mariana, que las cosas no son lo que parecen. Ya ves que no dice nada, ni te responde... pues él sabe bien su cuento.

—Con paciencia y un ganchito, Marcelino, hasta las verdes se alcanzan —ulula Julián.

—Sí, dicen que la paciencia es virtud de los burros —responde Mariana, inaudita.

Marcelino, helado, piensa: "¡Oh, de los Andrades no queda ya más que el nombre!" Pero le falta algo más que escuchar.

—Mire, niño don Julián, lo que ha de hacer es ayudar a esos pobres muchachos para su camino. Ya que su dinero de las carreras les sirvió para tanto tiempo, acábeles de hacer el favor: auxílielos para un buen viaje a Morencia.

Julián salta de su asiento; pero no para romper aquella boca que así lo injuria, sino para informarse de lo que tanto le ha intrigado. ¿Cómo sabe Mariana eso? ¿Quién le ha contado que Gertrudis se lleva a Marcela? Y pierde los estribos del todo, mientras que tanto Mariana como Marcelino se burlan interiormente de él.

Intensamente regocijada del mal que hace, Mariana sonríe radiosa de venganza y afirma que todo lo sabe de buena fuente, que antes de dos semanas muy lejos de San Pedro de las Gallinas estarán ya los amantes envidiados.

—Marcelino, Marcelino, ya es muy noche; los caballos, Marcelino.

Julián se ha puesto ansioso y en su mirada hay vaguedades de locura.

—Marcelino, ¿qué hacemos? —exclama cuando se han alejado del caserío.

El viejo socarrón finge ingenuidad:

—Si su mercé está resuelto ya, no hay otro remedio. Vamos a la villa, se la quitaremos y si él quiere estorbar... pior pa él!...

Impacientísimo, Julián afirma que se le ha ocurrido igual cosa, pero que eso pasa de difícil. Las maldecidas gentes del Gobierno han dado en cobrar por la vida de cualquier pelagatos infeliz, una barbaridad de dinero. Ahí están sumidos en la cárcel sus hermanos por falta de cuatro mil pesos. ¡Este maldito Gobierno no se llena nunca! No parece sino que la gente trabajadora tiene obligación de juntar dinero y más dinero para tanto haragán. Y tras ese pretexto vienen otros más poderosos aún. Sólo que el verdadero está tan escondido que ni el mismo Julián se le asoma. No es capaz de confesarse su miedo aterrador al morenciano. No quiere ni acordarse de que en más de una ocasión, camino ya de San Francisquito, con el firme propósito de ajustar sus cuentas a Gertrudis y a la querida, ha vuelto bridas en breve. La maldita imagen indeleble; "mis corredores han de ser corredores o se los lleva..." Y Gertrudis, que va a correr la Giralda sin collar —audacia mortal— sólo le ha contestado con su mirada terriblemente serena; unos ojos que le burilaron en el alma una impresión de terror implacable.

—Sí, amo, ya sé que hoy es la de malas pa los patrones; pero si uno sabe darse sus mañas...

—¿Qué harías tú, Marcelino?

—Hum, pos ni me lo pregunte; lo llevaba allá arribita, a la Cuevita... y luego ya podían venir los de la Montada a buscarlo... el amo nomás diga...

A Marcelino le castañetean los dientes; un raudal de juventud y vida nueva circula por sus venas. Aunque está frontero a los sesenta, ¡caramba! todavía se siente capaz de gozar... a su modo; cada cual tiene el suyo. Sus dientes entrechocan y el placer se hace tan intenso que supera las pobres fuerzas del viejo, quien, para ocultarlo y poder resistirlo mejor, vese constreñido a buscarse pretexto que le sincere ante sí mismo. Y lo encuentra.

—Yo me comprometo a traerle aquí mesmo a Gertrudis, amo; pero su mercé va a hacer también algo por este viejo, ¿verdá?... Estoy en la miseria, la gente no me puede ver ni pintado y cualquier día amanezco tieso en el chiquero.

—Di... di... ¿qué pides?...

—El amo don Esteban me quería mucho; pa mí las mejores tierras. -Hoy no puédo trabajar... su mercé tiene muy buenos caballos en sus caballerizas... el Mono es un buen cuaco.

Julián gime como si hubiese recibido intempestivo sofocón.

"¿Conque el Mono pide este salvaje a cambio de Gertrudis? ¿Qué tal canalla de gente es toda ésta? ¡Mi mejor caballo a cambio de ése... ¡Todos iguales; atajo de bandidos...!"

—El Mono será tuyo, Marcelino, —prorrumpe haciéndose violencia.

Mariana ha reído con crueldad al principio; ha gozado acordándose nomás de la tortura en que puso a Julián; pero después de reflexionar un poco le viene a la cabeza extraña idea. Una sospecha inaudita, terrible. Aquella retirada intempestiva de Julián. Su despertar instantáneo de la embriaguez. ¡Dios mío, si habrá hecho una barbaridad! Y cada vez más luminosa aparece la idea en su mente. Del desasosiego va a la angustia. ¡Dios del cielo, que no vaya a suceder semejante cosa! Si ella no ha tenido la intención... ¡Madre mía del Refugio!

Y se pone a rezar con gran devoción ante una estampita de la Virgen. "Madre mía, que no caigan en manos de esos hombres... que no caiga Gertrudis en sus manos, ni..."

Sus labios se rebelan a pronunciar el nombre aborrecido; pero su corazón enorme lo dice. Y cae de rodillas ante la Virgen del Refugio, estrepitosamente sacudida por el llanto.

—¡Ni Marcela!...

XXI

El brioso potro cabecea, a veces bufa cuando imprevisto tropiezo le detiene; pero avanza siempre seguro la empinada cuesta entre escarpaduras de la Mesa de San Pedro. La luz del amanecer, en una franja rosada de cada lado de la Mesa, va diluyéndose en el esplendoroso violeta de un cielo apagado ya de estrellas. La tenue claridad empieza a filtrarse en sombras vagas; luego árboles, rocas, grangenos y nopales destácanse distintamente. De pronto, hacia la empinada cresta pétrea asoma una aureola de luz roja, un río de oro se desborda inundando las sabanas blancas e inmensas con manchones de tiernos y rizados retoños primaverales.

El caballo de Julián se encabrita, se niega a seguir adelante; la espuela, al hincarse, sólo le hace revolverse sobre sus tensas corvas. Como un sonámbulo, Julián apenas se da cuenta de que han llegado al límite de lo accesible y al punto preciso de cita. Marcelino, talache en mano, está esperándolo desde la madrugada y él aun no repara en su presencia.

Apéase, se sienta al borde de la meseta, encajonado entre dos peñas, las piernas oscilando sobre el abismo.

Abajo álzanse los peñascos como cristalizaciones gigantescas de sílice en agujetas verticales y delgadas;

más abajo aún, la inmensidad del valle repulido como la superficie de un cartón de agrónomo; grandes cuadros y cuadrilongos de tierra divididos por negros surcos prodigiosamente paralelos, manchones plomizos de abandonados barbechos, claros de eriales blancos como marfil bruñido, superficies de malezas glaucas, líneas que se entreveran en madeja, cercas de piedras mohosas, nopaleras bordeando larguísimos vallados, el camino real como delgada culebra de alabastro. Y en aquel vasto campo donde el saucedal, a orillas del río, describe una gallarda curva cual lira gigantesca, las yuntas de bueyes llevando tras de sí un monito blanco encorvado sobre la mancera y seguido de la negra cauda del surco recién abierto, parecen inmóviles, enclavadas en la tierra. A plena luz del día álzanse ya los remolinos del polvo, débiles como los que un soplo pudiera levantar. Los viandantes bosquéjanse como hormiguitas de movimientos más lentos que las manecillas de un reloj.

Pero Julián escapa al espectáculo; una visión roja se lo borra todo. La tragedia en preparación lo obsesiona y le da la ambliopía de la sangre. Una idea da vueltas en su cerebro como rueca sin fin y es imposible arrojarla de allí.

Marcelino, pues, ha llegado al escritorio y da el aviso ansiosamente esperado: "ya está aquí Gertrudis". "Pues que entre" responde Julián, "pásalo al escritorio. Pero hay que sacar la cuenta de las raciones atrasadas que se le deben." Marcelino sale. Marcelino vuelve a entrar: "ya está aquí Gertrudis". Ahora han entrado los dos. No hay tiempo de nada. Marcelino le ha puesto la pistola amartillada sobre el pecho. Lo demás. Sí, lo demás que es muy fácil. A la Cuevita. Y... falta una cosa. ¿Qué falta, señor, qué falta?...

¡Ah sí, una cosa muy divertida! ¡Ja, ja, ja!... Marcelino quiere como premio el Mono. Descuida, Marcelino, se te dará tu premio.

Y Julián ríe con risa de supremo deleite, exquisita floración del placer más refinado.

Marcelino ha comenzado a trabajar ya, apartando cactus y grangenos que enraizan en las junturas de la boca de la Cuevita. La pica repercute lúgubre, peña por peña, y su ronco retumbo asciende y desciende por la abrupta crestería hasta que Julián despierta como de una pesadilla.

—Marcelino, por Dios, no hagas tanto ruido.

Cuando Julián se levanta y va a ayudarlo en la fatigosa faena, han transcurrido ya dos horas. Marcelino lo ha limpiado todo y sólo falta levantar la enorme peña que cierra la entrada de la Cuevita. Tras largos y prolongados esfuerzos logran al fin bornearla. Los dos se mantienen de pie para respirar, profundamente fatigados.

Julián alza la cara y ve las siluetas negras de los cuervos bajo la diafanidad azul. Arriba de su cabeza se levantan peñascos enormes cortados a pico y, por encima todavía, la cresta circular de la montaña cual pétrea corona de un coloso. Peñas cobrizas y herrumbrosas, repujadas por el beso candente de millares y millares de soles; peñas oblicuamente sobre la cima como si se extasiaran en su propia contemplación, abras enormes de entre las que surgen fofos colorines balanceados por el viento sobre la nada, tremolando sus hojas coriáceas cual mariposas verdes borrachas de insolación; grangenos abotagados como miembros de elefancíaco estiran sus brazos deformes e hincan sus garras en las hendeduras de las rocas. Y hay un glauco invasor que llena todos los resquicios y lo mismo flota en apretados haces entre las peñas, que cobija bajo su piadosa sombra a los caracoles resbalados de los helechos, el glauco de las varacenizas, sacudido por el viento, incesando a la montaña con el perfume de la montaña.

Hacia los bordes del desfiladero sopla el viento en ráfagas tremendas; pero ahí donde todo es enorme, apenas se percibe la caricia del coloso.

Los hombres continúan en su ruda faena; en un vigoroso empuje hacen girar la piedra. De canto ha dado media vuelta sobre el desfiladero, bambolea de un lado, luego de otro, pierde el equilibrio y en su desprendimiento parece llevarse a Marcelino que tiende sus manos con desesperación, cual si quisiera detenerla.

Julián contempla embelesado el descenso retumbante de la roca que salta y salta arrastrando pedruscos, desgajando troncos, arrebatando las copas de los árboles y las pencas de los nopales, hasta agotar su fuerza a distancia que los ojos no alcanzan ya. Julián sonríe con sonrisa de demente, contemplando la cara pálida de Marcelino.

—¡Quedamos bien! ¿Pos con qué vamos a tapar eso, ora, amo?

"Caracoles —piensa Marcelino mirando los ojos vagorosos de Julián que lo oye sin comprender— ni por pensamiento me pasó que este patrón fuera tan probecito de alma. Se ha vuelto loco nomás de pensar en lo que vamos a hacer."

Y con el sano propósito de distraerlo e infundirle un poco de ánimo, comienza a referir aventuras del amo don Esteban, allá en sus mocedades. ¡Oh, el amo don Esteban nunca se tentó el corazón para quitarse de enfrente al que nomás comenzaba a estorbarle! A los niños Andrades de hoy en día les suceden tantas desgracias por eso, porque se pasan de buenos. La gente abusa siempre del que se deja. Y cuenta cómo por aquella negra garganta, acabada de abrir, desaparecieron muchos que ni tanta guerra dieron.

—¿Y si Gertrudis no quiere venir, Marcelino? —exclama Julián de repente, angustiado ante tan tormentosa idea.

—De eso pierda cuidao el amo. Queda de mi cuenta. Si entre semana, cuando usté esté en la casa, él no quiere venir, lo que es un domingo me lo retetraigo.

—Pero entonces...

—Entonces... cuando su mercé esté aquí de vuelta...

Julián en su potrillo, a pie el viejo Marcelino, comienzan a bajar silenciosamente de la sierra.

Ante un monte espeso de nopalera, detiénese el viejo:

—Mire, niño, ahí donde se mira ese nopal manso nos jallamos una vez, su papá y yo, a un muchachillo que andaba apiando tunas. El amo su papá era retetravieso. "Chelino —me dijo— agárrame a ese muchacho; ya verás la diablura que le voy a hacer; no le quedarán ganas de volver a robarse mis tunas." Me bajé de mi caballo y en dos por tres lo pepené. Un mocito de diez años, un demonche que chillaba, loco de miedo. El amo, a risa y risa, le quita la cuchilla y le tumba los calzones... ¡zas... zas...! de donde se-

mos lo que mero semos... ¡ni rastros...! Me acuerdo
y echo el estómago de pura risa...

Carcajadas estrepitosas acogen el relato de Marcelino, y Julián asegura que aquello tiene tanta gracia
que vale la pena de repetirlo el día que se pueda ofrecer.

XXII

Cuando Mr. John se instaló en San Francisquito, pueblo cercano a un gran puente de la línea del F. C. M. que estaba en construcción, el vecindario se alarmó. Era bastante con que el advenedizo viniera de esos países infectos donde prosperan las nefandas doctrinas de Lutero, para que las gentes pudibundas y asustadizas temieran el contagio y aun la muerte eterna de algunas almas buenas. Tal sentimiento se amenguó bien pronto, porque Mr. John se ocupaba de vinos buenos y manjares bien condimentados, pero nunca de religión. Además, su bolsillo supo captarse sucesivamente las simpatías del cantinero, de la casera, del sastre, de la planchadora, y aun ablandar la rígida austeridad de algunos ancianos que le consultaban asuntos de su profesión. A los mozos ¡claro! desde el principio se los echó en la bolsa.

Pero un día corrió la voz de que el ingeniero tras de raptarse a una rancherita de San Pedro de las Gallinas, habían emprendido un viaje a los Estados Unidos. Y antes de tres meses, cuando aun estaban calientes los comentarios del extraordinario caso, el gringo regresó con todo y hembra, alquiló la mejor casa del pueblo y se instaló en ella con desenfado. Entonces sí que se pusieron erectos los pelos de muchos venerables pechos. Graves jefes de familia, matronas pasadas de los cincuenta, y todos aquellos que por hábito, edad o enfermedad vivían condenados a la continencia, pusieron su grito en el cielo.

Gastaba la diabólica mujer tal desenvoltura y desparpajo, que los mozos que antes jamás hubieran reparado en la rancherilla flechadora de los domingos en la misa de once, ahora se desalaban por alcanzar una mirada o un mohín siquiera.

A fin de poner coto a semejante escándalo, reuniéronse en conciliábulo muy comentado el señor Cura, el Maestro de la Escuela de niños y el Alcalde. En casos parecidos siempre se llegó a pronta y fácil determinación: el destierro. La mujerzuela que osaba poner los pies en San Francisquito anochecía en su casa y amanecía a muchas leguas de distancia, seguramente custodiada por personas de conciencia y edad respetables. Mas el caso en cuestión no era un lugar común; vulnerábanse los derechos civiles de un súbdito norteamericano y el primero en formalizar su veto fué el mismo señor Alcalde. Así, acordaron las conclusiones siguientes: primera, excítese a los fieles a elevar sus más fervientes plegarias a su Divina Majestad, pidiéndole, con gran dolor de su corazón, remedio para muy grave necesidad; segunda, procuren los vecinos privar a los amancebados de todo auxilio así de servicios personales como provisiones de boca, vestimenta, etc., (no olvidando que hay que aborrecer el pecado, pero nunca al pecador); tercera, verifíquense solemnes cultos en honor de San Judas Tadeo, patrono contra visitas inoportunas; cuarta y última, distribúyanse los gastos de tríduos, rosarios, misas y novenarios, entre los vecinos principales por su piedad y temor de Dios.

Las aflictivas voces se hicieron oír más pronto de

lo que el Cura hubiera deseado; a medio novenario
apenas, desaparecieron el gringo y su concubina.

Por lo demás, los chicos, que con tanto fervor de-
searan el arraigo de la planta venenosa, se cuidaron
de no traslucir nada el día que de buenas a primeras
reapareció Marcela bajo nuevo atavío. La entallada
falda estilo sastre habíase trocado por flotante enagua
de gasa, la camisa de aplanchada pechera y rojo corbatín por una blusa de encaje y rebozo de bolita.

Miel sobre hojuelas, pues; salvo las maneras un
tanto despectivas con que ella regresaba y la fiera altivez de su nuevo acompañante.

El domingo de Pascuas, a la hora en que la banda
municipal desgarraba el aire con sus agrios latones y
sus locos golpes de platillos y tambora, llegó Gertrudis
muy inquieto:

—Marcela, ponte tus trapos y vamos a los toros.

—Son de aficionados; a mí esos curros no me di-
vierten.

—Aquí más nos hemos de aburrir.

—Además, mira cuánta gente; es hilo que no se
corta. Quedaremos como cigarros en cajetilla.

"Si ella se niega a ir, algún motivo oculto tiene"
piensa el morenciano con su irreprochable lógica de
Otelo. Por lo que mayormente se encapricha. Marcela, que sabe de dónde son los toros de lidia y presume
una de tantas escenas de celos estúpidos si Gertrudis
se encuentra con Julián, permanece inmutable. Pero
el morenciano encontró ya un argumento sin réplica.

—Sí, ya sé por que no quieres ir; te da vergüenza
que esos curros te vean conmigo.

—¡Andale pues, hombre, vamos adonde te dé tu gana!

Marcela viste sus ropas domingueras. ¡Qué Gertrudis! No sabe lo que está haciendo. Que logre de veras aburrirla y ya verá si ella es capaz o no de ponerlo celoso ¡Imbécil, que se labra su desgracia por mero antojo! De nada le sirve que ella le sea fiel, en nada aprecia el sacrificio que ha hecho aceptando un arrimo modestísimo, cuando hay un mundo fastuoso y deslumbrante que se brinda por satisfacer sus más insignificantes deseos. Como si el dolor fuera para él importantísima necesidad de vida, apenas se retira de sus brazos férvidos, cae en la maldecida tarea de su suicidio lento. Puesto que en el presente de Marcela nada hay vituperable, vamos a buscar, vamos a escarbar con encarnizamiento idiota sus palabras y sus gestos más insignificantes; vamos a revivir todo un sucio pasado hasta que removido el fango nos intoxiquemos en sus propias emanaciones. Inútilmente se le ha entregado ella con un amor profundo y completo. Se ha propuesto borrarlo todo, aniquilándose en sus brazos; ha deseado con vehemencia morir en uno de esos raptos de locura para matarle su tormento. Y Gertrudis nomás haciendo renacer el fantasma del pasado con una vida tan intensa, que el presente se esfume y desaparezca.

Cuando llegan a la plaza de toros, miran a Julián Andrade entre un grupo de alegres mozalbetes. El morenciano desvía el rostro evitando el encuentro de sus miradas. Marcela choca la suya en un chispazo rapidísimo, intensísimo.

¡Bah! ¡El pobre Julián! Al fin y al cabo todo

su delito estaba en haberla amado como un loco, como nadie en el mundo hasta entonces la había amado. ¿Y ella? ¡Dios mío, nunca fué más cruel con un mísero cachorro!

Ya en el tendido de sol, Marcelino llega y toma asiento cerca de Gertrudis. En breve comentan y charlan como viejos amigos.

XXIII

Gentío alegre y vocinglero borbotaba en el graderío, en los palcos primeros y segundos. Hasta ese momento había guardado compostura y mansedumbre, soportando la grita insulsa de los curros, y la petulancia de los aficionados, quienes, sintiéndose auténticos Bombitas, ostentaban tieso y tendido calañés, chaquetilla alamarada, pantalón laso en los bajos, fieramente ajustado a la cintura y a las combas posaderas. Los incipientes coletudos habían hecho ya picadillo de los tres toretes lidiados; pero el cuarto y último, —una pesada broma del maldito ganadero— a las primeras de cambio puso patas arriba al desprevenido capitán de la cuadrilla, sembrando el pánico hasta en los mismos palcos. A cada voltereta de un peón desmayábase una niña, y los demás, con cara de pan de cera, imploraban los burladeros. Y como al toro se le había cercenado media encornadura, mayormente eran saboreados los tumbos y porrazos por la plebe. Cuando llegó el turno a los banderilleros, hasta los mismos cócoras de los palcos se contagiaron del terror de sus compinches.

—¡No te fíes, Paco, abre bien los brazos!

—¡Cuarteando, Paco!

—¡No, por ahí no tienes salida, Paco!

—¡Ahora es tuyo, Paco!

Pero el desdichado Paco manteníase impávido, caídos los brazos, contristada la faz y presa del más hondo desaliento. El pueblo se impacientaba; comenzaban a lanzarle puyas. Resuelto de repente, Paco levantó las fisgas, humedeciolas con la punta de la lengua, y se enfrentó con el torete:

—¡Je!... ¡je!... ¡je!...

En vano Paco había gastado una semana en aprender a cecear y a dar acento gachupín a sus voces; a la hora suprema todo se le olvidó y sus llamadas más tenían de humilde súplica que de reto. Excitados sus nervios, no podía estarse quieto un momento. Entonces se oyó un vozarrón:

—Brincas más que una mariagorda.

Aquel grito, en contravención manifiesta con el reglamento de plaza que prohibe toda especie de bromas a los señoritos, desató una tempestad mal contenida de gritos, silbidos y naranjazos. ¡Qué vergüenza que tal desaire se hiciera a un animal tan lindo! Y nadie se contuvo ya para lanzar sus cuchufletas,.a las que seguía una silba atronadora.

Entretanto el toro se mantenía a media plaza, muy sereno. Los lidiadores escapaban a la lluvia de naranjas y tepetates, al arrimo de los burladeros, y la presidencia, presta a evitar un motín, dió órdenes al trompeta. Un agudo y sonoro toque y un aplauso unánime.

El ruedo quedaba ahora a merced de los lazadores. Apuestos mozos en no menos gallardos caballos cruzan la plaza, reata en mano, bajo el sordo rumor del público apaciguado ya. Empiezan a caer círculos, elipses que no tocan ni las astas de la res. Esta lo mira todo con curiosidad y, altiva, no se mueve siquiera de su sitio. Y como la torpe faena se prolonga sin resultado, el público comienza a impacientarse y otra vez los ceceos sordos, los gritos sofocados, los silbidos perdidos, hasta que la bronca estrepitosa sacude de nuevo la plaza.

Un grito gutural, estentóreo, suficientemente poderoso para dominar el vocerío atronador, se levanta, repercute, se agiganta y va pasando de boca en boca hasta convertirse en una sola voz confusa, colosal y unánime. "¡Que baje Julián Andrade!"

,Los charritos del villorrio se queman, hacen esfuerzos inauditos; alguno logra poner un lazo; pero mal prevenido, desconcertado por la emoción, deja que la reata se le vuelva madeja en la mano; arranca el toro, encabrítase el caballo y cuando el afortunado lazador no sabe todavía qué hacer, la reata ha pasado toda por su palma dejándole una rozadura que lo despacha al corral.

El público aulla, zumban las risotadas y el grito vuelve a levantarse como una sola voz de millaradas de bocazas abiertas, de faces descompuestas y sin expresión individual.

—¡Que baje Julián Andrade!

Las miradas convergen hacia un sitio único. Julián Andrade, de pie, mira con fijeza un punto perdido en el tendido de sol, ábrese paso entre la multitud, salta ligeramente la barrera y enfrentándose a la presidencia, con estudiada modestia, pide permiso de lazar.

Al aplauso rabioso mezclánse grandes alaridos de salvaje regocijo e injurias para los muchachos de la localidad.

Julián, desdeñando los bellos corceles que se le ofrecen con benevolencia, se cuela en las cuadras para regresar momentos después caballero en macilenta jaca de pica, con una reata nueva, tiesa, flexible y crugiente:

—¡Abajo la yesca!... ¡abajo la yesca!... ¡Esos de San Pedro de las Gallinas!

Rancherillos patizambos de garrientas y sudosas cuerapas saltan presurosos en auxilio de su amo. Cogen la cuerda que el toro lleva al cuello y pasean de nalgas media plaza, arrastrados por un tirón intempestivo del animal.

Sonriendo, Julián desenrolla lentamente la reata; su mano izquierda mantiene la brida y el rollo, y su derecha hace círculos en el aire con una lazada estrecha. Cautelosamente toma el flanco de la res que lo espera sin recelo. De repente hinca la espuela, el caballuco se tira al galope en derechura del toro; el asa ha crecido en tanto y en una vistosísima serie de espirales en el aire da una vuelta entera en torno. Julián, al acercarse a los cuernos, vuelve bruscamente grupas, y en el preciso momento en que se ha puesto de espaldas al toro, le deja caer suavemente el lazo sobre las ancas. Al contacto arranca el animal, y es un movimiento rapidísimo y un solo ruido seco; el crujir de la reata por la cabeza de la silla, el tirón del jamelgo que patiabierto se matiene rígido y la caída del toro perfectamente enlazado de las patas.

Las dianas se ahogan en la gritería y en los aplausos. Cuando Julián deja el rocín, antes de saltar la valla, vuelve otra vez sus ojos al tendido de sol y levemente se lleva la mano al sombrero, cual si ofreciera su faena triunfal a alguien a quien el público no puede descubrir. Y ahí mismo, donde todo el mundo de pie aplaude con frenesí, Marcela echa un poco atrás su busto y corresponde al saludo, enviando con la punta de los dedos un beso imperceptible... Julián, radiante, asciende sin parar mientes en la lluvia de sombreros que le cae.

—Lo que sea, tío Marcelino, —exclama Gertrudis embelesado— la verdá no se ha de negar; pero lo que es pa eso de una crinolina estos patrones las pueden.

Y cándidamente sigue su charla sin haberse dado cuenta lo menos del mundo de la pesada chanza que su amante le jugó en las propias barbas.

XXIV

Después de la corrida, Marcela observó un cambio notable en Gertrudis. A la vigilancia irritante que le hacía quemarse de celos por motivos baladíes sucedía un descuido manifiesto. Alejábase a diario y cada vez más de casa; regresaba a horas desacostumbradas, y a últimas fechas en tal estado de agitación que bien a las claras traslucía lo que para Marcela desde mucho antes fuera manifiesto: la imposibilidad de seguir su vida en común por más tiempo.

Un día buscó a Gertrudis un sujeto desarrapado y de exótico atavío.

—Ah, sí, por las señas que me das, sé quién es él —respondió Gertrudis a Marcela,— ando buscando trabajo y él me lo ha prometido bueno.

Después el morenciano se demudó, quiso decir algo, pero cuando sus labios iban a desplegarse, la garganta se le cerró y se detuvo abrumado, limpiándose la frente empapada en sudor.

Y Marcela, indecisa, angustiada, ya con la presunción de los pensamientos que maduraban en el cerebro de Gertrudis, sentía la inminencia del derrumbe y de la ruptura indefectible.

Al día siguiente volvió el desconocido. Marcela le siguió con la mirada, luego salió tras él hasta la puer-

ta de un mesón. Ahí entró el hombre. En el mismo
zaguán tomó asiento frente a una mesita en torno de la
cual se agruparon muchos rancheros. Sus mujeres es-
perábanlos en la banqueta con tamaña cara boquiabier-
ta vuelta hacia la multitud.

—Son los que vienen a engancharse para Morencia. El viejo que escribe ahí es el contratista.

Marcela lo comprendió todo al instante.

El domingo en la tarde llegó el morenciano con la
faz sombría, turbia la mirada y ronca la voz. Ella
sintió el momento temido y esperado y reunió toda su
energía.

—Marcela, quiero mis trapos, me voy a San Pedro de las Gallinas.

—¡Cómo! ¿qué dices? ¿Tú te vuelves a San Pedro?
¿Pero te has vuelto loco, hombre de Dios?

—Estoy en mi juicio cabal —ruge el morenciano
montado en cólera.

—Entiéndeme —replica Marcela con entereza—
entiéndeme, Gertrudis; yo no te detengo; haz lo que te
dé la gana; pero, ¡por Dios! que volver a San Pedro
es una barbaridad. En tu pellejo yo nunca pondría
más los pies en tierras de Andrades.

—¡Hum, tú piensas que el tal Julián me asusta!...
¡Ja... ja... ja...! ¡Pa él y todos los suyos tengo!...
Y a más que esto es sólo cosa mía...

Marcela se sonroja, su mirada se nubla, y se abs-
tiene de responder.

Percátase el morenciano de su brusquedad y dul-
cificando un tanto la voz añade:

—No, mujer, no tengas cuidado por eso, no hay
peligro. Es negocio ya arreglado. Voy por unos cen-

tavos que me debe don Julián. Por no verle la cara,
he hecho trato con tío Marcelino. Por cinco pesos me
consigue que el escribiente me entregue mi dinero; todo es cosa de que vaya un domingo, cuando el amo
anda por acá.

—Si por dinero lo haces, te digo que ahí te que-
dan todavía dos papelitos de a veinte.

—Esos son para ti —rumorea el morenciano, cambiando de voz y con los ojos rasos.

Marcela hace un esfuerzo por mantenerse serena.
Bien sabe que una palabra, un solo gesto suyo basta-
rán para echar abajo los proyectos de Gertrudis. ¿Mas
a qué prolongar una situación que de todos modos
habrá de derrumbarse? Sus labios se matienen trému-
los; su redonda garganta déjase sacudir por un cabrilleo
de sollozos que se agolpan.

Y Gertrudis habla, revela al fin todo aquello que
tan trabajosamente venía elaborándose en su rudo cerebro; la idea que hasta hoy por un milagro de la
Santísima Virgen ha brotado al fin. Sí, él tenía imperiosa necesidad de un consejo, y por casualidad en
misa mayor vió al señor Cura en un confesonario, y la
gracia de Dios bajó del cielo. El padrecito le mostró
el origen de los males que le afligen, de sus dolores y
sufrimientos. ¡Todo ha sido por el pecado! Después
le señaló el remedio, le enseñó el camino de su salva-
ción: "O te casas con esa mujer o. . ."

Y Gertrudis se detiene porque la lengua se le ha
hecho un nudo.

Entretanto Marcela se ha ido serenando paulatinamente a punto de que el acto terrible pasa casi sin

sentirse. Ella no sabe porqué; pero encuentra un Gertrudis empequeñecido, digno apenas de conmiseración.

Y él prosigue. Que en cuanto el señor Cura lo
acabó de confesar, presurosamente cogió de la parro-
quia en derechura del mesón y está apuntado ya para
el enganche que otro día saldrá para Morency. Y esta
es la prisa que tiene de recoger el dinero que Julián
le adeuda.

Luego, presa de extrema exaltación, tórnase a su
vez consejero. Que por eso deja a Marcela ese dinero,
para que se aparte de su vida de pecado; que es un
aviso de Dios Nuestro Señor que le da tiempo todavía
da arrepentirse.

—Haz lo que quieras. Mañana llega aquí por tus
trapos cuando vuelvas de San Pedro; tengo que lavar-
te unas camisas.

El morenciano se queda atónito. Quizás esperaba
un rapto de dolor, un torrente de lágrimas, el desbordamiento de lamentos de la amante enloquecida por el
terrible golpe. Y nada, Marcela le ha respondido imperturbable. Y Gertrudis, que tal vez ha sentido por
primera ocasión una herida mortal en su vanidad de
amante idolatrado, no puede volver atrás y ha de cons-
treñirse irremisiblemente a cumplir su palabra.

Han empujado la puerta de la calle, Marcela se
estremece despertando de su letárgica tristeza.

—¿Estás aquí?...

La hoja cede a un leve empuje.

—Yo soy, Marcela, yo soy, enciende una luz.

Marcela ha reconocido a Julián; su silueta delega-
da se ha esfumado en la sombra del cuarto.

—¡Oh!... ¡váyase!... ¡váyase!...

—¡Marcela, qué mala has sido siempre conmigo!...
¡qué mala!...

Tentaleando se acerca, la coge entre los brazos y
la cubre de frenéticas caricias.

—Por Dios, vete, que no dilata en venir.

—No tengas cuidado; ahí afuera Andrés está cui-
dando. ¡Qué mala gente eres, Marcela!

Un desbordamiento impetuoso e irresistible de
abrazos, de besos de todos los deseos por tanto tiempo
contenidos, se abate sobre ella en los furiosos ardores
de un incontenible sensualismo. Y su feminidad asal-
tada en un momento de desfallecimiento, de abdica-
ción absoluta de la voluntad, no la deja defenderse; sus
débiles protestas se pierden ahogadas entre besos y sollozos.

En el silencio de la alcoba se escuchan sus res-
piraciones lentas. Uno y otra se han perdido en pensamientos divergentes. De improviso, Marcela se pregunta por qué Julián se ha metido en su casa, cuando
tiene un miedo cerval al morenciano. ¡Si sabría la
partida de Gertrudis! Se inquieta y se exalta. Y va
a inquirir cautelosamente cuando Julián se endereza
dando un suspiro de satisfacción y se sienta a vestirse.

—¡Cómo!... ¿te vas? —exclama ella escondiendo
su pesar y la angustia de una idea terrible.

—Sí, chata, dejé varios asuntos pendientes en la
hacienda y...

—Oh, no, no puede ser... no te vas hasta mañana... espérate aquí hasta mañana!

—Deveras, es cosa urgente.

—Te vas en la madrugada.

—No, no puedo... y temo que vaya a llegar tu... tu ése...

Marcela respira con tranquilidad. No hay pues peligro. Julián nada sabe, puesto que teme la vuelta de Gertrudis. Y sin instarle más lo deja partir.

Durante largos minutos se mantiene absorta, estupefacta. No parece sino que todo lo que acaba de ocurrir ha sido un sueño, un sueño molesto, una pesadilla de ésas que dejan el cuerpo como magullado. Paulatinamente va despertándose su espíritu y poco a poco la escena ocurrida se reproduce fúlgida en su imaginación en toda la fuerza de su estupidez y su ignorancia. ¡Qué acción tan inmunda! ¡Manchar así un recuerdo sagrado cuando no se pierden todavía en los ámbitos del cuartucho las últimas palabras de Gertrudis! ¡Maldecidos Andrades! ¡Raza de cerdos!

Su alma entra en ebullición, sacúdenla millares de odios acumulados por su casta eternamente dominada, infeliz casta de esclavos. La sola posibilidad de caer otra vez bajo el yugo de un Andrade, pónela fuera de sí. Su angustia infinita declina en amargo llanto. Cual si hubiesen transcurrido ya muchos años de la partida de Gertrudis, evoca su recuerdo en pleno ensueño, rememora aquella figura eternamente dolorida que surge en manifiesto contraste con la del cínico Andrade, del maldecido Andrade que, saciado ya, acaba de salir sin pronunciar una palabra de cariño, sin un gesto siquiera de cordialidad. Y llora, y llora, y cuando raya el alba no se evaporan sus lágrimas de la almohada.

XXV

—No, no es muerto, es herido, yo vide que se bullía.

—Les digo que es matao, y muy bien matao; viene envuelto en un petate.

—Sí, sí ha de ser matao; no mira que no resuella.

—Dicen que es de San Pedro de las Gallinas.

A las últimas palabras, Marcela, que ha despertado con gran sobresalto por lo que escuchara fuera, se pone prontamente en pie y se viste con precipitación. La charla comadreril llégale en fragmentos; ora habla una con acento agudo, ora replica la otra en un rumor sordo y confuso. Y todo para aumentar al extremo su inquietud. Apenas se ha vestido y corre como una loca a la calle. Las comadres tienen mil versiones: una sostiene que sólo es un herido a juzgar por lo caricontento de los que le traen; otra que es uno de los de la gendarmería rural; ésta que fué una riña en la hacienda de El Refugio y la de más allá que es un peón de San Pedro de las Gallinas; Marcela no puede sacar nada en claro y va derecho a las Consistoriales donde se exponen a los matados, mientras llega a dar fe el Alcalde constitucional.

Alcanza el cortejo y distingue luego gente conocida, gentes de San Pedro de las Gallinas. Las fuerzas la abandonan; para no caer se sienta en la banqueta, imposibilitada para mover un solo dedo.

—Oye, Pedro ¿quién es el muerto?

—Tío Marcelino —responde el carretero de San Pedro de las Gallinas—, Tío Marcelino que amaneció desbarrancado en la ladera, abajo de la Cuevita.

Marcela vuelve en sí. Cuando, de vuelta de su casa, escucha todavía en sus oídos "tío Marcelino desbarrancado abajo de la Cuevita", le vienen recuerdos pavorosos. Sí, así dijeron también hacía diez años, cuando, chiquilla todavía, dejó de ver para siempre a su viejo abuelo, el consentido de los Andrade. Y se acuerda de las caras y gestos extraños que ponían su padre y toda la gente de San Pedro cuando alguien decía: "amaneció Fulano desbarrancado abajo de la Cuevita". Años más tarde supo con espanto del asesinato perpetrado por los viejos amos en la persona de su abuelo y comprendió el significado de la frase misteriosa.

"Marcelino desbarrancado abajo de la Cuevita." ¡Dios mío!, y Gertrudis que andaba por allá, y tío Marcelino que estaba de acuerdo para cobrarle un dinero, y la prisa de Julián para regresar al rancho. La inquietud más terrible volvió a hacer presa de ella. ¿Si sería oportuno presentarse al Juzgado y dar un pormenor de lo que ella sabía y que pudiera interesar para el caso de tío Marcelino? Mas, ¿a qué conducía todo si a fin de cuentas nada cierto sabía de Gertrudis? ¿Qué le importaba que el muerto fuera Marcelino o cualquiera otro, segura de que Gertrudis no lo había sido?

Pasó el mediodía. En los carbones, ya cenizas, se consumieron las provisiones. Al choque de las ideas más absurdas y contradictorias cedían las energías de Marcela.

Avanzó la tarde. Su angustia se hizo insoportable. Si Gertrudis no vuelve antes del tren de las ocho, su cabeza estallará.

En la casa del frente, los zapateros golpean sin cesar, y aquel golpeteo seco del martillo parece caer sobre la tapa de un féretro, de un féretro que no pueden acabar nunca de cerrar.

De pronto brota una canción, un cantar hondo y melancólico, de esos que ya otra vez la habían hecho llorar. Marcela no resiste más, coge su rebozo y se lanza a la calle.

No sabe propiamente a dónde va, qué busca, ni qué espera. Automáticamente llega a la puerta del juzgado y sin vacilaciones se cuela hasta la mesa del augusto Constitucional.

—Señor Juez, yo tengo muchas cosas qué declarar sobre ese muerto que han traído esta mañana.

El Alcalde alza la cabeza y frunce el ceño con dureza tal, que al mejor dispuesto le hubiera hecho el efecto de una ducha helada; pero ella, la cara encendida, rojos los ojos y vaga la mirada, hace tan deshilvanada relación del sucedido, que el señor Alcalde no puede menos de rechazarla por incoherente y oficiosa. Las viejas son chismosas por naturaleza y el Juzgado tiene de sobra para divertirse y no dar oídos a la primera comadre que se presente. Y cuando ella insiste en que Marcelino no se ha desbarrancado, sino que debe de ser una de tantas víctimas del asesino don Julián Andrade, el Alcalde repara fijamente en su semblante y la reconoce.

—¡Ah!... ¿Es pues usted?... ¿La querida de don Julián?

—Hubo algo de eso, señor... Ahora no. Y si vengo a decir lo que sé, es porque los conozco, sé quiénes son y de lo que son capaces; ellos asesinaron a mi abuelo... Y la mera verdá, señor Juez, el mero interés que aquí me trae es mi... hombre... a quien ese don Julián no puede ver ni pintao...

—Señora —truena el inmaculado alcalde, irritadísimo por el cinismo incomparable de la mujerzuela y su falta de respeto—, señora, le falta a usted lo mejor para tener cara con que presentarse en este sitio... ¡la vergüenza!...

Marcela sale cortada, mientras que don Petronilo se violenta por no intervenir en favor de esa mujer que, en su humilde parecer, tiene sobradísima razón. Pero, ¿quién va a hacer despertar las furias del superior? ¡Pobrecito señor! siempre está quejándose de la enormidad de trabajo; siempre está evadiendo todo lo que de algún modo pueda acrecentarlo. Mal dispone del tiempo miserable que sus labores le dejan para atender la huerta de alfalfa, las verduras y la cría de chivas. Y por eso el secretario doblega la cerviz con santa resignación. Sí, no se podía dudar, esa mujer era entrometida, enredosa y embustera: se le conocía de sobra.

Desolada, Marcela torna a su casa. A cada bulto que se perfila azuleando en la blanca polvareda del camino real renacen su esperanza y alborozo. ¡Qué caramba! Con tal de que a Gertrudis no le haya ocurrido nada, poco importan los cobardones de San Pedro de las Gallinas. Por apocados más merecen.

Oscureció, llegó la noche, y nada de Gertrudis. Si

sería mentira su promesa de volver por su ropa; si
sería sólo un pretexto para dejarla sin un adiós siquiera.
¡Ojalá y así fuera! Sí, aunque nunca la volviese a ver.

Pero sus lógicas reflexiones no disipaban un punto su dolor; la angustia de la indecisión torturaba su
alma sin cesar.

Al toque de ánimas rechinó la puerta. Marcela detuvo su respiración; luego sintió su cuerpo de plomo;
alguien acababa de entrar.

—Soy yo, Marcela, no te asustes... Andrés, espérame en la esquina.

—¡Vete, por Dios... que no dilata en llegar!...

Marcela estaba helada.

Julián clavó en ella sus ojos llenos de malicia. Una
sonrisa diabólica se esbozó en sus labios.

—¿Quién... ¿Tú... ese? ¡No le tengas ya miedo...!

Marcela siente las mandíbulas anquilosadas, un
frío glacial la inmoviliza. Hace un esfuerzo tremendo.
Puesto que es preciso hacer comedia para saberlo todo
de una vez, que sea pronto.

—¿De veras, Julián?... ¡Ah, qué gusto!...

Y su voz se apaga casi.

—¿De modo que ya no he de tener miedo de...
él?...

Julián duda, se mantiene perplejo unos instantes
y, vacilando aún, replica:

—Luego, ¿es cierto? ¿Deveras lo aborreces?...

—¡Oh, le tengo un miedo!... Siempre me quería
matar por nada...

—¡Ja... ja... ja!... Pues por esa parte puedes ya vivir tranquila.

La risa sarcástica, estridente, desgarradora, resuena en el corazón de Marcela como un cristal que se hace añicos.

—¡Julián, quiero vino... anda a traerme vino... pero mucho vino!

—Así me cuadras más, mi prieta... voy afuera... Andrés, Andrés, ve por una botella de coñac.

—No —prorrumpe ansiosa ella—, no, que no vaya él, quiero Martel, Martel legítimo. Anda tú, Julián, tú mismo, amorcito mío...

El sale y entorna la puerta y Marcela se yergue con trágica fiereza. Pasmosa serenidad se adueña de ella; firme, con la vela en la mano, seguro el pulso, se encamina al cuarto contiguo. De un humilde clavijero de pared penden las ropas de Gertrudis. La prueba es dura y no puede resistir; su cabeza se hunde entre los lienzos flácidos y sus ojos se mojan. Pero no hay tiempo que perder, su debilidad es de segundos; se endereza, estira su brazo y del bolsillo de un pantalón saca un cuchillo largo y puntiagudo. Lo esconde tras la floja manga de su blusa y sus dedos doblados ocultan la pata de venado de la empuñadura.

Julián vuelve, jacarandoso, con botellas en las manos. Marcela le espera serenamente en el mismo sitio donde la dejara.

—Bebe tú primero.

—No, tú...

—No, te digo que tú primero.

Julián se lleva la botella a la boca y Marcela se

levanta. Pero sus piernas flaquean, su mano tremula
y se rebela, y cuando en un impulso formidable e imposible como el de un febricitante bajo horrible pesadilla alza su brazo, sus dedos se entreabren y la cuchilla
cae tembloreando sonora en los ladrillos.

Con ojos aterrorizados Julián da un salto atrás. Y
va a correr desaforadamente cuando oye a sus espaldas
el pesado cuerpo de Marcela que cae desvanecida. Estupefacto, se detiene y regresa. Mira con faz acerada
y yerta el imperceptible ondular de su pecho erguido.
Una sonrisa cristaliza en su semblante paliducho con
manchas de sangre deslavada y podrida. Se inclina, recoge la daga y oprime entre sus dedos firmes la pata
de venado.

XXVI

El señor Alcalde, grave y parsimonioso, da vueltas de un extremo al otro; de vez en vez se detiene, observa el trabajo de su secretario; luego, impaciente un tanto, reanuda su vaivén.

Don Petronilo se encorva sobre una mesita, y el garrapateo de su nerviosa pluma macula una hoja blanca.

"...inmediatamente se transladó el personal del Juzgado al lugar de los acontecimientos, que es la casa número 23 del Callejón de los Varilleros, y da fe tener a la vista el cadáver de una mujer que se encuentra en el suelo, boca arriba y bañada en sangre. Es de color moreno, ojos y cabellos negros, viste blusa de percal y enaguas de gasa color de rosa. Examinado que fué, se le vió una herida punzocortante situada en el pecho izquierdo, abajo del mamelón, de cinco centímetros de longitud y de profundidad no determinada. Cerca de la mano derecha se le encontró una daga (al parecer, cuerpo del delito) ensangrentada hasta el puño; la hoja es de acero; mide quince centímetros de longitud y la cacha es una pata de venado..."

"...en seguida, examinado Julio Barba, vecino de esta villa, de oficio zapatero, de cincuenta y dos años de edad, previa la protesta de conducirse con verdad, declara: que el cadáver que tiene a la vista es de la que en vida se llamó Marcela Fuentes, que la conoce hace tres meses más o menos, que esa mujer acompañada de un tal Gertrudis (cuyo apellido ignora), vino a habitar esta casa que está precisamente frente a la que él ocupa con su taller de zapatería. Interrogado sobre los acontecimientos, afirma que hoy por tener recargo de obra, todavía a las ocho de la noche estaba trabajando; que como hacía mucho aire, había cerrado la puerta de la calle; que estaban dando los clamores de las ocho cuando oyeron un grito muy agudo, como de mujer; que entonces él y sus oficiales se levantaron y corrieron a asomarse por la hendidura de la puerta; que como el farol estaba muy cerca pudieron distinguir a un ranchero de camisa de manta y sombrero de soyate, montado en un caballo rosillo y teniendo de la brida a otro caballo prieto muy grande que parecía fino; que a los pocos instantes salió de la casa de enfrente un charro flaco, alto, vestido de gamuza, sombrero galoneado, el que brincó sobre el caballo prieto, echando a correr luego a todo galope. Que aquello lo hizo pensar en alguna desgracia; pero que les dió miedo salir y sólo hasta que pasó un buen rato se habían animado a acercarse a esa casa. Que dicha casa se encontraba alumbrada, que llamaron repetidas veces a la consabida Marcela y, como nadie respondiera, decidieron dar aviso desde luego al comisario del cuartel..."

El juez abanica su rostro, fatigado quién sabe por qué, con su negro y sudoso cubetín. El secretario acaba de levantar el acta y se limpia la frente, agotado.

—Despeje usted la sala, don Petronilo.

Todos los curiosos se retiran.

—Enfríese, don Petronilo, con eso basta.

El secretario pasea por sus párpados cerrados la punta de dos dedos, luego abre y cierra los ojos repetidas veces para limpiarse bien las telarañas de la fatiga.

—¡De la que nos hemos escapado! —prorrumpe adulador el magnífico don Petronilo.

El magistrado inmáculo mueve la cabeza desolado; sus orejas se ponen encendidas.

—Pero, hombre, don Petronilo, ¿es posible que en veinte años de trabajar juntos no haya podido enseñarle siquiera a callar lo que no le importa? ¡Verdaderamente debo ser muy desventurado!

El incorregible don Petronilo abre ojos y boca, totalmente desconcertado. Está fuera de duda; su superior no le ha entendido. ¿Por qué lo querella así? Y tímidamente se atreve:

—Quiero decir, señor juez, que si el sargento calamidad estuviera todavía en el pueblo, no nos quitábamos este juicio de encima ni con un trisagio... ¡Es la misma mujer que estuvo esta tarde en el juzgado!

—Bien... ¿y qué?...

—Acuérdese usted... conjeturando se puede llegar a...

—Pero, dígame, don Petronilo, ¿usted quiere hacer de la Justicia un juego de muchachos? ¿Cree usted que se pueda proceder por meras conjeturas que son del dominio interno de un particular? Don Petronilo, no se le olvide que hay un delito muy grave que se llama "de difamación" y que ese delito se castiga fuertemente. Don Petronilo, mucho cuidado, que se mete en las once varas de la camisa.

El pobre secretario se calla. Ciertamente el saber de su superior le anonada. A él, pobre escribientillo del tres al cuatro, tan sencillo que le parece todo. Y casi le viene gana de arrodillarse, pedir perdón por sus tontos pensamientos, jurar por la diezmillonésima vez que no volverá a hablar más de lo que no entiende.

—Oígame, don Petronilo, quédese usted acabando de enfriar; yo ya tengo mucho sueño y me voy a acostar. Mañana, muy tempranito, me va a ordeñar las chivas, y quiero también que me saque unos camotes del surco para María Engracia. Hasta mañana, don Petronilo.

INDICE